AMIGOS PARA A VIDA

"Encantador,
espirituoso e sábio.
Uma ode às delícias
de ser diferente."

The Guardian

Andrew Norriss

Tradução

Roberto Muggiati

Rio de Janeiro, 2018

1ª Edição

TÍTULO ORIGINAL
Jessica's Ghost

CAPA E ILUSTRAÇÃO
Raul Fernandes

DIAGRAMAÇÃO
Kátia Regina Silva

Impresso no Brasil
Printed in Brazil
2018

CIP-BRASIL. CATALOGAÇÃO NA PUBLICAÇÃO
SINDICATO NACIONAL DOS EDITORES DE LIVROS, RJ
VANESSA MAFRA XAVIER SALGADO – BIBLIOTECÁRIA CRB-7/6644

N772a

Norriss, Andrew
Amigos para a vida / Andrew Norriss; tradução Roberto Muggiati – 1. ed. – Rio de Janeiro: Valentina, 2018.
208p.; 21 cm.

Tradução de: Jessica's ghost
ISBN 978-85-5889-080-9

1. Ficção infantojuvenil britânica. I. Muggiati, Roberto. II. Título.

CDD: 028.5
18-51972 CDU: 087.5

Todos os livros da Editora Valentina estão em conformidade com
o novo Acordo Ortográfico da Língua Portuguesa.

EDITORA VALENTINA
Rua Santa Clara 50/1107 – Copacabana
Rio de Janeiro – 22041-012
Tel/Fax: (21) 3208-8777
www.editoravalentina.com.br

Para todas as Jessicas
e as pessoas que as amaram.

1

Francis precisava ficar sozinho.

Precisava ficar sozinho para pensar, motivo por que, apesar do tempo lá fora, levou sua mochila e seu lanche até um banco no lado mais afastado do pátio.

Nem sempre é fácil encontrar solidão numa escola movimentada, mas era fevereiro, a temperatura estava um pouco acima do congelante, e o frio, como sabia Francis, manteria a maior parte das pessoas no lado de dentro. E, mesmo que alguém de fato saísse, provavelmente evitaria *aquele* banco. Ele ficava de frente para o prédio principal da escola, e os alunos da John Felton geralmente preferiam passar o intervalo do lanche em algum lugar longe da vista da sala dos professores e da secretaria.

Francis não se importava que o supervisionassem – não a distância, pelo menos. Tudo o que queria era a oportunidade de pensar sem qualquer perturbação. Ele estava sentado no banco, com um gorro puxado que apertava suas orelhas, e segurava uma xícara de chá quente nos dedos gelados... quando uma perturbação veio atravessando o gramado em sua direção.

Era uma menina de mais ou menos a sua idade – ainda que não a reconhecesse como sendo da escola –, e possivelmente a coisa que mais o distraía nela era o que vestia.

Ou melhor, o que não vestia.

Apesar do frio, não estava de casaco. Tudo o que usava era um vestidinho listrado branco e preto – alguém que entendesse dessas coisas o reconheceria como um vestido zebrado Victoria Beckham –, que deixava braços e ombros expostos ao ar invernal. Aonde quer que estivesse indo, pensou Francis, havia boas chances de morrer congelada antes de chegar.

De canto de olho, ele percebeu, para sua surpresa, que a garota continuava a caminhar diretamente na sua direção, até que parou e então se sentou na outra ponta do banco. As ripas de madeira estavam cobertas por uma fina camada de neve, mas isso não pareceu incomodá-la. Ela se sentou ali e ficou observando calmamente, do outro lado do pátio, o prédio, sem dizer uma só palavra.

Francis não queria companhia, mas acabou ficando curioso. Por que ela atravessara o pátio para se sentar ao lado dele? Por que não falara nada? E por que era aparentemente imune ao frio?

– Talvez você queira um pouco disso – ofereceu ele, estendendo a caneca. – É só chá, mas está quente.

A garota se virou para encará-lo, depois girou a cabeça na direção oposta, como se para ver com quem ele estava falando. Quando percebeu que não havia mais ninguém e que ele deveria estar falando com ela, um olhar de surpresa e choque tomou seu rosto.

– Você está... você está falando comigo? – perguntou ela.

– Desculpa. – Francis recolheu a caneca que oferecera. – Não vai acontecer de novo.

– Consegue me ouvir?

– Sim – disse Francis. – Desculpa por isso também.

A garota franziu as sobrancelhas. – Mas ninguém consegue me ver! Nem me ouvir!

– Não?

– A não ser que... – A garota o encarou fixamente. – Você não está morto também, está?

– Acho que não.

Francis se esforçou para continuar sorrindo enquanto derramava silenciosamente o restante do chá na grama e atarraxava a caneca de volta à garrafa térmica. Parecia que era hora de dar o fora.

– Não entendo... – A garota continuava observando-o.

– Você... hum... você está morta, é isso? – Francis tentou manter um tom de naturalidade ao guardar a garrafa térmica na mochila.

– O quê? Oh... sim. – Como se quisesse ilustrar o que dizia, a garota ergueu um braço e o fez atravessar as ripas que formavam o encosto do banco como se não tivessem mais densidade que fumaça. – Mas não entendo por que você consegue me ver. Quero dizer... ninguém consegue!

Por vários segundos, Francis não se mexeu. Congelado, com a garrafa térmica numa das mãos e a mochila na outra, seu cérebro reproduziu, passo a passo, a ação que acabara de testemunhar.

– Durante todo o tempo em que estou morta – disse a garota –, ninguém, e quero dizer *ninguém* mesmo, conseguiu me ver ou ouvir. Nunca.

– Você se importaria – pediu Francis lentamente – de fazer aquilo de novo? A coisa com o braço? Através do banco?

– O quê, isso? – A garota repetiu a ação de passar o braço pelas ripas de madeira às suas costas.

– Sim. Obrigado.

Por alguns instantes, a garota pareceu intrigada, mas logo seu rosto voltou ao normal. – Ah, tá! Você só queria confirmar que não tinha imaginado tudo!

– Isso – disse Francis.

– Pois bem, não imaginou – afirmou ela. – Estou mortinha da silva, e até hoje ninguém conseguiu me ver. Na verdade, já parei na frente das pessoas e gritei, mas nenhuma delas nunca... – E olhou para Francis. – Mas você consegue?

Francis se esforçou para fazer que sim com a cabeça.

– Bem, isso é *estranho*! – falou a garota. – Quero dizer, você sai por aí durante um ano, completamente invisível, e então se senta num banco e...

Olhou para Francis. – Você me deu um baita susto! – E fez outra pausa antes de acrescentar: – Acredito que tenha sido um certo choque para você também.

– Um pouco – concordou ele. – Ainda está sendo, na verdade.

– Não entendo. – A garota balançou a cabeça. – Ninguém, até agora, conseguiu me ver. Quero dizer... estou morta!

– Como? – perguntou Francis.

– O quê?

– Só estava me perguntando como você morreu.

– Ah, claro. – E a garota deu de ombros de leve. – Não me lembro dessa parte. Acho que devo ter morrido num acidente ou algo assim. Tudo o que sei é que me vi no hospital, certa noite, e eu estava...

– Morta? – sugeriu Francis.

– Sim.

– E ninguém conseguia te ver ou ouvir...

– Ninguém.

– Certo... Isso deve ter sido... Certo...

Fez-se um longo silêncio, que acabou sendo quebrado pela campainha avisando o fim do recreio.

– Esse sinal significa que você tem que entrar para a aula, não? – perguntou a garota.

Francis respondeu que sim. Pegou sua lancheira e a colocou na mochila, mas não fez qualquer movimento para se levantar.

– É que... – começou a garota. – Será que... você se importaria de voltar? Depois?

– Quer dizer... no final da aula?

– Sim. Não me importo de esperar. É só que, como falei, ninguém nunca conseguiu me ver ou ouvir até agora. E é... bom ter alguém com quem conversar.

– Tudo bem – disse Francis.

– Não se importa?

– Não. – Francis se levantou e colocou a mochila no ombro. – Não, isso... não seria um problema.

Ele deu alguns passos na direção da entrada da escola.

– Meu nome é Jessica – disse a garota. – Jessica Fry.

– Francis – disse ele. – Francis Meredith.

No caminho de volta para o prédio principal, passou rapidamente pela sua cabeça a ideia de matar a aula, ir à secretaria e contar a alguém o que acabara de acontecer. Tentou imaginar o que fariam. Ligariam para o hospital? Para suà mãe? Para um psiquiatra?

Não que aquilo importasse, pensou ele, pois não tinha a menor intenção de contar a alguém que acabara de conhecer um fantasma na hora do recreio.

Já tinha problemas demais sem afirmar que podia ver gente morta.

2

Quando saiu da escola às três e quinze e viu Jessica à sua espera no banco, a primeira sensação de Francis foi de alívio. Uma parte dele meio que esperava descobrir que o encontro na hora do lanche havia sido alguma espécie de alucinação, e a visão de Jessica, aguardando como prometera, era estranhamente reconfortante.

Jessica, percebeu Francis, havia trocado de roupa. O vestido zebrado se fora, e agora ela usava calça jeans e um casaco Puffa, com um par de botas Ugg e um gorro de tricô. Levantou-se quando ele se aproximou.

– Oi – cumprimentou.

– Oi. – Francis parou diante dela.

Fez-se uma pausa levemente constrangedora.

– Se a gente tentar conversar aqui, você vai congelar. Tem algum lugar aonde a gente possa ir? – perguntou ela.

– Você pode vir comigo para a minha casa, se quiser – sugeriu Francis. – Quero dizer... se puder. Os fantasmas têm permissão para andar por aí?

– Não sei sobre outros fantasmas – disse Jessica –, mas esse aqui pode ir aonde quiser. Fica longe?

– Uns cinco minutos. Moro na avenida Alma.

Francis partiu na frente rumo aos portões da escola.

– Você mudou.

– Está falando das roupas?

– Sim. Como isso funciona, exatamente? Você tem uma espécie de... guarda-roupa fantasma em algum lugar?

– Posso vestir o que eu quiser – explicou Jessica. – Quando eu descobri que estava morta, usava um avental de hospital, e semanas se passaram até eu perceber que não precisava continuar com ele.

Ela deu uma olhada em Francis. – Só preciso pensar.

– Isso é tudo? Basta pensar?

– E precisa de um pouco de concentração – continuou ela –, mas... sim.

Por um instante – Jessica parou em meio a um passo –, um borrão tênue se formou em volta do seu corpo, e o jeans e o casaco Puffa desapareceram para serem substituídos pelo vestido zebrado que ela usara antes.

– Esse... é um truque legal.

– Vi uma foto dele numa revista que alguém estava lendo – contou Jessica – e pensei... por que não? Você não sente frio quando é um fantasma, entende?

– Bem útil – disse Francis.

– E é meio que divertido.

Jessica voltou ao jeans com casaco. – Você vê algo de que gosta. Não precisa se perguntar quanto custa. É só se imaginar nele.

– Então, nem tudo é ruim – observou Francis. – Essa coisa de estar morta, quero dizer.

– Bem, não é o que eu esperava. – Jessica franziu as sobrancelhas. – Não que eu esperasse algo, na verdade. Eu achava que depois de morrer era o fim, e tudo... parava. Ninguém me avisou que eu poderia acabar virando um fantasma. – Ela fez uma pausa. – Mas acho que não é tão ruim assim, depois que você se acostuma. É... meio que tranquilo, sabe?

– Tranquilidade é bom – concordou Francis.

– É um pouco solitário, às vezes, mas não sinto cansaço nem fome. Não tem ninguém para me dizer aonde devo ir ou como me comportar. Posso fazer o que eu bem quiser.

– E o que você faz?

– Ah, você sabe... eu circulo para cima e para baixo. – Jessica acenou com o braço vagamente na direção da cidade. – Tem coisas acontecendo em todo lugar, e eu posso observar todas elas.

– Mas não consegue falar com ninguém.

– Não.

– Nem com outros fantasmas?

– Jamais conheci outros fantasmas – disse Jessica. – Nem mesmo sei se existe algum. O que é estranho, se você parar para pensar.

Ela olhou para Francis com atenção. – Isso não te incomoda, certo?

– O quê?

– Eu ser um fantasma.

Francis refletiu. Ele se incomodou de início, quando viu Jessica pela primeira vez, pois ela poderia ser louca – ou então ele mesmo poderia estar enlouquecendo –, mas quando ela passou o braço através do encosto do banco para mostrar que era um fantasma… essa parte não o incomodou nem um pouco. Ficou surpreso, certamente, mas não incomodado.

– Acho que se eu visse um fantasma – disse Jessica –, quando estava viva, claro, eu teria corrido por um quilômetro sem parar. Mas vi que isso não preocupou você de verdade, não é mesmo?

– Não – disse Francis. – Não me preocupou.

Provavelmente ajudou, pensou ele, que tudo tenha acontecido à luz do dia – com o brilho do sol e todos os ruídos de uma escola movimentada ao fundo –, mas não foi só isso. Havia algo na garota caminhando ao seu lado que tornava impossível ter medo dela. Tudo nela – exceto o fato de estar morta – era *normal* demais para dar medo.

Também ajudava o fato de que, por algum motivo, ele gostava dela.

– Acho – disse Jessica – que você é um daqueles tipos fortes e introvertidos que não têm medo de nada.

– Oh, claro.

Francis abriu um portão e seguiu na frente até chegar à porta de uma casa geminada vitoriana, alta e com tijolos vermelhos. – Sr. Destemido. Sou eu mesmo.

Jessica seguiu Francis por uma estreita antessala, dominada por uma enorme pintura a óleo numa elaborada moldura dourada. Era um retrato em tamanho real de um homem com expressão séria num uniforme naval, com dragonas de ouro nos ombros, e uma das mãos repousando sobre a espada na cintura.

– Uau! – exclamou. – Quem é esse?

– O Almirante. – Francis tirou o casaco e o pendurou num cabideiro. – Meu tataravô.

Ele pegou a mochila e foi caminhando em direção à escada.

– Só preciso mudar de roupa. Não vai levar mais que um minuto.

Francis subiu a escada de dois em dois degraus, entrou no quarto e trocou rapidamente o uniforme escolar por jeans e camiseta. Saiu e encontrou Jessica no alto da escada. Ela já havia se livrado do casaco Puffa e do gorro de lã, e vestia um top de crochê com o jeans.

Ela olhava para outro retrato, quase tão grande quanto o da antessala, mas desta vez de uma moça num vestido dos anos 1920. Ela estava parada com um braço sobre uma lareira um tanto imponente, olhando para fora do retrato e sorrindo.

– Quem é essa? – perguntou ela.

– Minha bisa – contou Francis. – A filha predileta do Almirante.

Jessica acenou com a cabeça enquanto continuava a estudar a pintura.

– Dá para saber bastante sobre as pessoas pelas roupas que usam, não é mesmo? – observou ela. – O Almirante lá embaixo, por exemplo. O uniforme está todo abotoado, e meio que o sufoca, como todas as regras que uma pessoa como ele precisa obedecer.

Jessica gesticulou para o quadro à sua frente. – Mas o que ela está vestindo é largo e confortável. Dá para ver que não está sendo sufocada por nada, e ela gosta disso.

Então, virou-se para Francis, como se esperando que ele dissesse algo. Mas ele não disse.

– Desculpa. Eu esqueci. Os meninos não se interessam muito por roupas, não é?

Ela andou em direção à escada. – Vamos voltar lá para baixo?

– Só preciso deixar isso no meu quarto. – Francis segurava a mochila da escola e se dirigia a outro lance de escada, mais estreito, que levava para cima, e não para baixo.

– Pensei que aquele fosse o seu quarto. – Jessica apontou para o cômodo.

– Ali é onde eu durmo – explicou Francis. – Tenho outro quarto lá em cima para... outras coisas.

– Posso ver?

Francis quase, quase disse não. Na verdade, as palavras já estavam se formando na sua mente para explicar por que ela não poderia – que não havia nada de interessante lá em cima, que eles ficariam mais à vontade na cozinha lá embaixo, e que ele estava com fome e precisava comer algo –, mas, por algum motivo, não foram estas as palavras que saíram. Nunca soube de fato por quê. A não ser que parecia um daqueles dias em que as regras normais não se aplicavam.

– Claro – acabou dizendo. – Por que não?

Francis conduziu Jessica e passou por uma porta no alto da escada, entrando num quarto que corria por toda a extensão da casa.

A primeira coisa que Jessica notou foram os desenhos presos na parede à sua frente. Eram croquis, quase todos feitos à caneta e nanquim, para uma série de casacos, vestidos casuais e de gala. Debaixo deles havia uma mesa de trabalho com uma máquina de costura e, embaixo dela, rolos de tecido num caleidoscópio de estampas e cores. À esquerda, sob uma claraboia, ficava outra mesa toda coberta com um retalho de algodão off-white, com partes de um molde de papel em cima. À direita, podia-se ver um manequim ao lado de um sofá de couro surrado.

Não. Aquilo não era o tipo de coisa que se esperava encontrar no quarto de um menino, porém, o mais surpreendente e que se tornou visível apenas quando ela entrou no quarto e olhou para trás, foi o conjunto de estantes nas quais estavam expostas várias fileiras de bonecas. Havia, pelo menos, cinquenta delas, cada qual com uma roupa diferente.

– O que é esse lugar? – perguntou ela.

– Eu te disse.

O tom de voz de Francis era estudadamente neutro, mas ele observava Jessica com atenção enquanto falava.

– É meu. É onde faço... umas coisas.

Jessica foi até a estante com as bonecas.

– Então elas são todas suas?

– Sim – respondeu, juntando-se a ela. – Eu estava tentando fazer uma espécie de história ilustrada da moda nos últimos cinquenta anos.

E pegou uma das bonecas. Ela estava vestida com uma jaqueta de couro com rebites, e os cabelos eram curtos e pintados com a padronagem da bandeira dos Estados Unidos. – Cada boneca representa um estilo particular, entende? Fly girl, punk, grunge...

Jessica apontou para uma boneca vestida num traje que parecia ser de plástico rosa. O que é aquela ali?

– É um Miyake – explicou Francis. – Um estilista japonês.

Por um momento, Jessica deu as costas para as bonecas e gesticulou para os desenhos pregados na parede oposta.

– E estes aqui também são todos seus?

Francis confirmou com a cabeça. – Tenho interesse em moda. Sempre tive.

Jessica olhou bem ao redor, e então o rosto irrompeu num sorriso. – Eu mataria alguém para ter um lugar como esse quando era viva!

Francis não respondeu diretamente, mas algo em seus ombros e em seu rosto pareceu relaxar pela primeira vez desde que entraram no quarto.

– A gente pode falar de moda mais tarde? – pediu ele. – Primeiro, preciso saber mais sobre como é ser um fantasma.

Colocando a boneca de cabelos curtos de volta na estante, foi em direção ao sofá.

– Então me conta... – disse, sentando-se. – Como tudo começou?

Tudo começou, pelo que Jessica podia recordar, com ela se vendo de pé diante da janela de um quartinho no terceiro andar do hospital, olhando em meio à escuridão para um edifício-garagem do outro lado da rua.

Embora não se lembrasse de como havia acontecido, sacara de imediato que estava morta. Sabia do mesmo modo que sabia que o corpo debaixo do lençol na cama ao seu lado um dia lhe pertencera. Não precisava ver o rosto ou ler as mensagens nos cartõezinhos presos aos buquês de flores. Simplesmente sabia.

Estar morta, como dissera anteriormente a Francis, não era algo que a preocupava em particular. Não sentia dor ou desconforto, e o sentimento predominante era uma sensação geral de calma e tranquilidade. Quando as enfermeiras chegaram para levar embora o corpo, não se sentiu inclinada a segui-las. Tratava-se, afinal, apenas de um corpo.

O que a intrigava, porém, era o que deveria *fazer*, agora que estava morta. Depois de ficar diante da janela pelo que pareceu ser uma eternidade, e, por falta de coisa melhor para fazer, ela flutuou para o corredor e depois explorou outras partes do hospital. Logo descobriu que conseguia atravessar paredes e portas, flutuar pelo teto e afundar no chão como se ele não existisse, e tal liberdade de movimento poderia até ser agradável se...

... se ela não tivesse a incômoda sensação de que havia *deixado escapar* algo.

– Deixado escapar o quê? – perguntou Francis.

– Não sei.

A testa de Jessica se enrugou enquanto ela procurava pelas melhores palavras para descrever como havia se sentido. – Era como se eu soubesse que deveria fazer *algo*, só que não sabia o quê. E não havia ninguém para me dizer.

– E o que você fez então?

– Bem, achei que talvez a pessoa que deveria me dizer o que fazer não havia conseguido me dizer porque eu estava perambulando pelo hospital, e por isso voltei para o quarto no terceiro andar e esperei.

– Esperou?

– Sim.

– Por quanto tempo?

– De certa maneira, acho que ainda estou esperando. – Jessica soltou um longo suspiro. – Não o tempo todo, obviamente. Durante o dia eu saio e faço coisas. Mas sempre volto ao hospital à noite. Não é como se eu *tivesse* que voltar, mas... bem, *é* um pouco assim, acho eu.

– E você acredita que um dia alguém vai aparecer e te dizer o que fazer? – perguntou Francis.

– Quem sabe? – Jessica deu de ombros. – Só tenho a sensação de que, se algo acontecer, vai ser lá. Naquele quarto.

– E você tem voltado lá toda noite... por um ano?

– Sim.

Francis deu um assovio solidário. – Um ano é muito.

– Eu sei.

Por um tempo, os dois ficaram em silêncio, até que então Jessica apontou ao seu redor para as bonecas e os desenhos na parede.

– Vamos lá, agora é a sua vez. Quando isso tudo começou?

Francis estava prestes a responder, quando foi interrompido pelo som da porta da frente sendo destrancada e alguém o chamando lá de baixo.

– É a minha mãe – avisou ele. – Espere um pouco. Já volto.

Francis desceu os dois lances de escada a tempo de ver a mãe, uma mulher alta e de aparência desalinhada, tirando o casaco na antessala e pendurando-o no cabideiro.

– Foi tudo bem? – perguntou Francis, inclinando-se no corrimão.

– Poderia ter sido pior. Vendi dois pratos! – A mãe olhou para ele e sorriu. – Como foi o seu dia?

– Normal.

– Nenhum... problema ou algo assim?

– Não. Nenhum problema.

– Que bom.

A mãe de Francis estava a caminho da cozinha. – Acho que tem pizza no freezer. Grito para avisar quando estiver pronta, ok?

Francis subiu de volta ao sótão, onde encontrou Jessica vestida como estava quando chegaram, com o casaco Puffa, as botas Ugg e o gorro de lã.

– Melhor eu ir embora – disse ela.

– Não precisa ir – Francis lhe assegurou. – Vou ter que descer para comer em algum momento, mas...

– Está ficando tarde – Jessica o interrompeu. – Tenho que voltar para o hospital... – E ela hesitou, antes de acrescentar: – Mas posso ver você amanhã. Se quiser.

– Com certeza – disse Francis. – Na hora do lanche? No mesmo lugar?

– Combinado.

Francis foi até a escada – seria necessário acompanhá-la até a porta da frente? –, mas ela não fez qualquer menção de segui-lo. Em vez disso, fitou o carpete, aparentemente perdida em pensamentos.

– Você tem alguma ideia – Jessica acabou dizendo – de por que consegue me ver quando ninguém mais consegue?

– Não – respondeu Francis. – Você tem?

– Na verdade, não. – Jessica ergueu o olhar. – Mas cheguei a me perguntar se talvez não fosse você quem poderia me dizer o que eu devo fazer em seguida.

– Lamento – disse Francis. – Queria poder, mas não sei nada sobre... fantasmas. Não sei nada de nada, na verdade. A não ser de roupas.

– Não... bem, deixa pra lá. – Jessica sorriu. – Vejo você amanhã, então.

E desapareceu.

Quando Francis atravessou o pátio no intervalo do lanche no dia seguinte, Jessica já se encontrava sentada no banco à sua espera, trajando um vestido de festa rosa-salmão.

– É o que uma mulher estava usando quando veio ao hospital na noite passada – contou ela, se levantando para dar um rodopio que revelou meia dúzia de anáguas. – Gostou?

– Gostei – disse ele, admirado. – Impressionante.

– É um Sarah Burton.

– Ainda mais impressionante – disse Francis. Sarah Burton era uma das suas estilistas favoritas, embora ele não tivesse reconhecido a peça. – Mas... como você sabe?

– Vi a etiqueta quando tiraram a roupa dela.

Jessica se sentou, apalpando o vestido sobre as pernas. – Eu deveria usar joias para combinar, como ela usava, mas não consigo. Não sei por quê. Posso fazer sapatos e penteados, sem qualquer problema, mas quando tento imaginar joias... nada acontece.

Francis se sentou ao lado dela.

– Então é isso que os fantasmas fazem à noite? Ficam de bobeira na emergência e bisbilhotam o que os pacientes estão vestindo?

– Não é a *única* coisa – disse Jessica. – Também gosto de assistir às cirurgias. Mas é legal ver o que as pessoas vestem. Sempre gostei de roupas. Mesmo quando eu era pequena, preferia assistir ao Gok Wan na tevê do que à Peppa Pig. Pelo menos, foi o que a minha avó contou. E o meu brinquedo preferido sempre foi o baú de roupas.

Francis disse que nunca tivera um baú de roupas para brincar, mas que ainda conseguia se lembrar da empolgação ao encontrar as *Vogue* da mãe, e como as levara para o quarto e não olhara para mais nada por dias. Nessa época, tinha quatro anos de idade. Aos oito, pediu de aniversário uma máquina de costura para poder começar a fazer suas próprias versões das peças que copiava das revistas ou tinha visto nas vitrines.

No banco, sob o sol invernal e enquanto Francis comia seus sanduichinhos e bebia chá de sua garrafa térmica, os dois descobriram que o interesse pelas roupas não era a única coisa que eles tinham em comum. Para começar, eram quase da mesma idade – sem contar o ano de Jessica como fantasma –, seus aniversários distavam somente uma semana. Ambos estavam entrando na adolescência. Ambos tinham sido criados por mães solteiras, e tiveram que mudar de casa inesperadamente, aos doze anos de idade, e não gostaram nem um pouco.

– Eu me pergunto – começou Jessica – se é por isso que você consegue me ver. Por sermos tão parecidos.

– Não tão parecidos assim – disse Francis. – Um de nós está morto, lembra?

– Você entendeu o que eu quis dizer! – Jessica o cutucou com um cotovelo fantasmagórico que desapareceu dentro do casaco dele por vários centímetros. – Tendo todas essas coisas em comum... não pode ser só coincidência, pode?

Ainda deliberavam sobre a possibilidade quando tocou o sinal para o início da aula, e pareceu natural que, quando Francis fosse para a sala, Jessica o acompanhasse.

Ela se sentou numa cadeira ao lado dele e, embora o diálogo fosse limitado – ao menos para Francis, que precisava tomar cuidado em como e quando falar com alguém que mais ninguém conseguia ver –, ambos gostaram.

Jessica também teve lá sua serventia. Durante o teste-surpresa na aula de História da Sra. Archer, Jessica pôde caminhar pela sala para ver o que os outros alunos estavam respondendo. E na aula seguinte, de Matemática com o Sr. Williams, ela deu a ele uma explicação maravilhosamente clara sobre desigualdades entre números irracionais. O fato de tê-lo feito vestindo uma cópia exata do reluzente terno azul do Sr. Williams, com todas as canetas no bolso, tornou até mesmo aquela aula... meio que divertida.

Mais tarde, de volta ao quarto no sótão da avenida Alma, Jessica perguntou no que ele estava trabalhando naquele momento, e Francis lhe mostrou a mesa coberta com um retalho de algodão off-white e um pedaço de um molde pregado na parte de cima.

– É um tecido Oxford que me deram – explicou –, e pensei em fazer um top. – Ele pegou um bloco de croquis e o abriu. – O design é esse.

– Legal – disse Jessica. – Para quem é?

– Betty. – Francis apontou para o manequim ao lado do sofá. – É só um exercício, na verdade. Prática, sabe?

Particularmente, Jessica achava uma pena que um manequim fosse a única *pessoa* a vestir as roupas que ele fazia, mas não falou nada. Em vez disso, tagarelou – praticamente sobre moda e os estilos de que gostava e não gostava – enquanto Francis panejava os pedaços de um molde sobre o manequim a fim de checar o tamanho, para depois prender o resultado ao tecido esparramado sobre a mesa, antes de cortá-los.

Ele trabalhava com uma confiança e uma tranquilidade que Jessica não podia deixar de admirar, e foi mais ou menos uma hora depois, vendo-o debruçado na máquina de costura, fazendo uma bainha, que ela o viu parar por um instante para esticar os ombros. Está tendo cãibras, pensou ela, como acontecia com a Vó. Esquecendo-se por um momento de que era um fantasma, estendeu os braços para massagear os músculos na base do pescoço de Francis.

Na mesma hora, ele parou e se virou.

– Foi você? – perguntou.

– Hum… sim… – Mesmo sem ter um corpo, Jessica se sentiu enrubescer. – Eu ia massagear seus ombros. Era o que eu costumava fazer com a minha avó.

– Mas eu senti você! – Francis ficou intrigado. – Como posso sentir seu toque se você é um fantasma?

– Não sei. – Jessica esticou os braços, colocando as mãos nos ombros dele, e pressionou os polegares sobre os trapézios. Eles desapareceram sob a pele de Francis. – Consegue sentir?

– Oh, sim... – Francis se inclinou para que os polegares adentrassem ainda mais fundo, e fechou os olhos. Era uma sensação estranha, mas definitivamente agradável, relaxante e ainda assim, ao mesmo tempo, revigorante. Como se ele estivesse sentado ao sol num dia de verão, e o calor invadisse seus ossos.

– Uau... – disse Francis. – Você é cheia de surpresas, não é mesmo...

No dia seguinte, os dois se encontraram pela manhã, em vez de na hora do lanche. Francis saiu de casa às quinze para as nove e viu Jessica à sua espera na calçada. Entraram na escola juntos, assistiram às aulas juntos, passaram os intervalos juntos e voltaram, no final do dia, para o quarto no topo da casa na avenida Alma.

Depois de quase doze horas na companhia um do outro, nenhum dos dois demonstrava qualquer sinal de estar entediado. Naquela maneira curiosa em que estas coisas às vezes acontecem, eles pareciam "encaixar" como dupla.

Motivo pelo qual repetiram a dose no dia seguinte...

E um dia depois...

E mais um dia depois.

Se alguém tivesse perguntado a Francis se ele não achava que passar a maior parte das horas em que estava acordado na companhia de um fantasma era um pouco... estranho, provavelmente teria concordado. Mas não se importava. À medida que os dias passavam, mal pensava em Jessica como um fantasma. Era simplesmente... sua amiga. Era também a única pessoa da sua própria idade que ele havia conhecido, com quem podia conversar sobre tecidos sintéticos com a mesma facilidade que as pessoas falavam sobre a meteorologia, que sabia a diferença entre pregas e dobras, e conseguia reconhecer uma peça de Sarah Burton quando sua proprietária era atendida no setor de emergência.

Comparado a tudo isso, o fato de estar morta parecia irrelevante.

Quanto a Jessica, seria preciso estar morto há um ano – sem que ninguém conseguisse ver ou ouvir – para entender o quanto significava ter Francis para conversar. Ela não havia percebido bem o quão solitária sua vida – ou melhor, sua morte – vinha sendo, e agora encontrara alguém não só com quem podia trocar ideias, mas que também era inteligente, engraçado e interessante...

Sua única preocupação era que, em determinada altura, ele talvez quisesse voltar a andar com gente viva – embora, felizmente, Francis não demonstrasse qualquer sinal disso por enquanto. Quando, certa vez, perguntou a ele se estar na companhia dela não o estaria afastando dos outros amigos, ele simplesmente respondeu que não havia mais ninguém com quem quisesse estar.

E era verdade que Francis fazia pouquíssimo esforço para interagir com qualquer outra pessoa quando estava na escola. Por outro lado, ninguém mais parecia fazer o menor esforço para falar com ele.

Exceto por Quentin, é claro.

Mas ele não era alguém que se pudesse descrever como amigo.

A primeira vez que Jessica viu Quentin Howard foi quando ela e Francis esperavam no corredor antes de entrar para uma aula de Ciências.

Jessica estava flutuando alguns metros para evitar a multidão – ter muitas pessoas atravessando seu corpo a deixava levemente nauseada –, quando um menino atarracado e de óculos se aproximou de Francis, segurando uma boneca de aparência maltratada, com uma perna só e careca.

– Presente pra você, Francis – zombou. – Encontrei na rua. Vai precisar de roupas novas, mas você é o cara pra isso, não é mesmo? – E enfiou a boneca no bolso superior do blazer de Francis, enquanto todos ao redor caíam na risada.

Francis tirou a boneca do bolso, e quando estava prestes a jogá-la no lixo, o Sr. Nicholls, o professor de Ciências, apareceu e lhe disse para guardá-la e entrar na sala de aula. Todos tornaram a rir.

– Por que ele fez isso? – perguntou Jessica, descendo para se juntar a Francis a caminho de uma carteira.

– Coisa do Quentin – disse Francis. – Não foi nada. É o que ele sempre faz.

E era verdade. Sempre que via Francis, Quentin fazia questão de lhe perguntar se tinha comprado uma boneca nova ultimamente, feito algum vestidinho ou costurado uma roupa de baixo bacana para elas. Francis parecia não se importar muito, mas Jessica, sim.

– Ele não está sendo legal – disse ela, depois que Quentin perguntou a Francis, no começo de uma aula de Geografia, se ele dava festinhas para tomar o chá da tarde com suas bonecas. – Você deveria fazer alguma coisa.

Francis apenas sorriu. – Tipo o quê?

– Bom, para começar, poderia mandar ele parar.

– Ele não vai parar só porque eu estou mandando. Ele acha superdivertido fazer isso. – Francis deu de ombros sutilmente. – E de qualquer forma... em parte é culpa minha.

– Culpa sua? Como assim?

– Eu trouxe um kit de costura para a escola, certa vez. E Quentin encontrou uma boneca na minha mochila.

– Uma das bonecas com roupas especiais?

Francis fez que sim com a cabeça. – Se fosse uma das punks ou algo assim, talvez eu me safasse... mas era um Moschino.

– Eita... – Jessica estremeceu. Moschino era um estilista que gostava de encher de florais espalhafatosos e babados de renda as roupas que desenhava.

– Pensei em tentar explicar quem era Moschino e por que eu gostava dele – começou Francis –, mas tive a sensação de que isso não ajudaria em nada. Minha mãe disse que, se eu não der bola, uma hora ele vai parar de me provocar.

Havia, pensou Jessica, poucos sinais de que Quentin pararia a curto prazo. Como dissera Francis, ele estava se divertindo demais com isso. Mas ela ainda achava que algo deveria ser feito. As provocações de Quentin – se é esse o termo adequado – até podiam não incomodar Francis, mas por algum motivo deixavam Jessica claramente irritada. Francis podia ser uma daquelas pessoas de sorte que nunca se preocupam muito com o que quer que seja – o tipo de pessoa que encontra um fantasma na hora do lanche e simplesmente lhe oferece uma xícara de chá –, mas ela própria não era assim.

Isso, pelo menos, era o que ela pensava, e foi um certo choque descobrir o quão longe estava da verdade.

Os dois foram à cidade juntos depois da escola, na quarta. Francis precisava de alguns botões para a camisa de algodão que estava fazendo e os comprou na seção de alfaiataria da loja de departamentos Dummer's. Enquanto ele pagava, Jessica saiu flutuando para ver uma arara de saias e vestidos no outro lado do corredor.

Embora ainda fosse fevereiro, as primeiras peças de verão já começavam a aparecer e, quando Francis chegou com sua sacolinha de botões, Jessica o chamou para ver um vestido frente única cujo preço eram impeditivas oitocentas libras.

Francis se juntou a ela, olhou para o vestido e então estendeu a mão para sentir o tecido entre o polegar e o indicador.

Ao fazer isso, uma vendedora surgiu diante dele.

– Você não é Francis Meredith? – perguntou ela.

Francis largou o tecido, assustado.

– Não nos conhecemos – disse a mulher –, mas sou a mãe de Lorna Gilchrist.

Lorna era uma menina da mesma sala de Francis na escola.

– Eu te reconheci da foto da turma – continuou a mulher. – Você é o menino que se interessa por moda, certo?

Francis não respondeu.

– Estou aguardando a Lorna – prosseguiu a mulher. – Não sei se vocês dois gostariam de...

– Lamento. – Francis começou a se afastar na direção da saída. – Tenho que ir. Estou atrasado para... estou bem atrasado.

Ele saiu correndo na direção das escadas, e Jessica o seguiu, entrando em um dos corredores da loja. Ele estava afundado num banco, com a cabeça nas mãos.

Intrigada, ela se sentou ao lado dele.

– O que foi? – perguntou. – Tem alguma coisa errada?

Francis levantou discretamente a cabeça e olhou para ela. – Aquela era a mãe da Lorna.

– Eu sei. Ouvi quando ela disse isso para você. Mas eu ainda não entendi por que você resolveu fugir. O que está acontecendo?

– O que está acontecendo – disse Francis, exausto – é que a mãe da Lorna vai contar a ela o que viu, não vai? E então, amanhã, a Lorna vai contar às amigas na escola e todo mundo vai saber que eu fui visto passeando na seção feminina de uma loja de departamentos.

– É isso que está te incomodando? – Jessica o observava. – Que a garota possa contar a todo mundo amanhã que você foi visto olhando um vestido?

– Não só olhando – disse Francis. – Tocando também. E, sim. É isso que está me incomodando.

E claramente estava. Francis tinha ficado pálido e havia manchinhas vermelhas nas suas bochechas. Ele parecia… *assustado.*

Jessica não só ficou surpresa. Ficou intrigada. Durante todo o tempo que passaram juntos, jamais vira o amigo daquele jeito. Ele era o Sr. Tranquilidade. O Sr. Destemido. Nada assustava Francis. Até mesmo quando conhecera um fantasma, o que fizera fora convidá-lo para a sua casa. Ela nunca vira Francis incomodado com nada, e ainda assim… ali estava ele… *bastante* incomodado.

– Não entendo! – disse ela. – Mesmo que a Lorna *conte* para alguém… e daí? Todo mundo já sabe que você é um pouco estranho quando se trata de roupas, não sabe?

– Obrigado – disse Francis. – Isso ajuda um montão.

– Você entendeu o que eu quis dizer! Você só estava olhando um vestido! Isso não é ilegal, e todo mundo sabe que você se interessa por moda. Você é o cara que faz vestidos para bonecas, pelo amor de Deus!

– Sim, e agora as pessoas vão dizer que eu sou…

– Ah, e quem se importa com o que vão dizer! – interrompeu Jessica. – Deixe que digam o que quiserem. Não interessa! De verdade. Como pôde achar que *importa*?

Jessica disse isso, ou algo nesse sentido, uma porção de vezes e de uma dúzia de maneiras diferentes no caminho para casa, e o fato é que, ao chegarem de volta à avenida Alma, Francis estava preparado para admitir que talvez sua reação tivesse sido exagerada. Talvez ela estivesse certa. Todo mundo na escola já sabia do seu interesse por moda. Talvez ser visto na seção feminina da Dummer's não fosse lá um grande problema. Certamente não, se comparado a alguém encontrar uma boneca na sua mochila e perceber que você tinha feito as roupas dela...

Ele estava um pouco menos seguro na manhã seguinte a caminho da escola. Se não tivesse Jessica ainda o encorajando com firmeza, ao seu lado, talvez nem tivesse ido à aula, mas quando lá chegou...

... nada aconteceu.

Se a mãe da Lorna havia dito alguma coisa à filha sobre ter encontrado Francis admirando um vestido na loja de departamentos, a própria Lorna não contou o fato a mais ninguém. Nem até então, nem tampouco depois. Houve um momento, ao final do turno da manhã, que pareceu que ela talvez se aproximaria para falar com ele, mas Francis fingiu estar lendo seu livro, e ela deu meia-volta e saiu da sala.

Nem Jessica nem Francis tornaram a falar disso, mas o incidente fez Jessica perceber que Francis se preocupava com o que as outras pessoas pensavam e diziam, muito mais do que deixava transparecer.

A mãe de Francis sempre soube que o filho era diferente dos outros meninos. À medida que crescia, ela viu a diferença se tornar ainda mais acentuada e não ficou surpresa ao saber que ele vinha tendo problemas na escola. A vida numa cidade de mentalidade provinciana, para um menino cujo passatempo era desenhar vestidos, nunca poderia ser fácil, mesmo antes de ele ter sido descuidado o suficiente para deixar que alguém descobrisse uma boneca na sua mochila.

Grace Meredith era ceramista. Em seu estúdio – uma estrutura decrépita de vidro que se estendia da cozinha aos fundos da casa –, ela jogava pratos, tigelas e vasos na sua roda, assava-os e envernizava-os num forno e embrulhava o resultado final para que pudessem ser vendidos.

Trabalhar com argila era algo de que a Sra. Meredith sempre gostara, embora nunca tivesse esperado fazer disso seu ganha-pão. Quando criança, a única matéria em que demonstrara algum talento na escola havia sido Artes. Dera prosseguimento ao seu interesse com uma breve passagem pela faculdade de Belas-Artes e, depois de casar, o marido, David, chegara a construir uma olaria para que ela pudesse continuar a "brincar com lama", como dizia ele alegremente. Foi somente depois que David, um amante de asas-deltas, voou de encontro à lateral de uma montanha e acabou morrendo, que a Sra. Meredith se viu forçada a pensar na cerâmica como algo mais que um passatempo.

Com uma renda extremamente limitada, e um filho e uma casa enorme para manter, ela teve que sair à procura de uma forma de ganhar algum dinheiro, e vender as tigelas e os pratos que fazia parecia ser a resposta óbvia. Todos que viam seu trabalho diziam o quanto era bom – e estavam certos. Infelizmente, a Sra. Meredith era melhor como artesã do que como mulher de negócios, e o dinheiro continuou sendo uma fonte de apreensão constante. No ano passado, tiveram que reduzir os gastos drasticamente, cortar despesas. Mudar para uma casa geminada na avenida Alma ajudou, mas o dinheiro, ou melhor dizendo, a falta dele, ainda era uma questão preocupante.

Quase tão preocupante quanto ter um filho como Francis.

Ela fez o que pôde para ajudar. Escreveu para a escola perguntando se algo poderia ser feito em relação às provocações. A diretora telefonou para dizer que havia conversado com uma professora dele, que prometera ficar de olho nas coisas. A professora ligou, uma semana depois, dizendo que achava que a situação vinha melhorando. O próprio Francis garantiu que isso era verdade, mas a Sra. Meredith não ficou completamente convencida.

Sua preocupação específica no momento era a quantidade de tempo que o filho passava recluso. Até onde podia ver, nas últimas duas semanas ele não conversara com quase ninguém além dela mesma – e ainda assim não muito. Ia à escola sozinho, voltava sozinho e seguia direto para o quarto no sótão, onde passava a noite inteira. Solitário.

Descia para as refeições, mas mesmo então havia algo de *vago* nele, como se estivesse ouvindo alguma voz que só ele conseguia perceber. Recentemente, ela o escutara falando sozinho.

Subindo a escada rastejando para se sentar do lado de fora do sótão, ela colou o ouvido na porta e escutou o murmúrio de uma conversa inteira, como se estivesse fingindo que havia alguém lá dentro com ele.

Era tudo muito preocupante.

O que o filho precisava, ela sabia, era da companhia de alguém da sua própria idade. Se houvesse alguém com quem ele pudesse ir para a escola, sentar junto na aula, conversar durante o dia, talvez ele pudesse atravessar um período difícil sem muitos danos.

O que Francis precisava era de um amigo, e, por uma questão de sorte, ela acabara de encontrar um potencial candidato.

– Sabe a mulher que acabou de se mudar para a nossa rua? – A Sra. Meredith estava no seu estúdio, pintando cuidadosamente o contorno de um cisne no centro de um prato enquanto falava. – Parece que ela tem um filho quase da mesma idade que você.

– É mesmo? – Francis estava na cozinha ao lado. Jessica tinha voltado para o hospital e ele preparava um chocolate quente antes de ir para a cama.

– O nome dele é Andy. – A Sra. Meredith mergulhou o pincel no verniz e desenhou a forma do pescoço do cisne. – Mas a mãe está um pouco preocupada com ele.

– Certo... – Francis ouvia sem dar muita atenção. Jessica sugeriu que os dois fossem a uma mostra de figurinos teatrais que abriria em Southampton no dia seguinte. Ele estava ocupado pesquisando os horários dos trens.

– Ele deveria começar na John Felton na segunda, mas não quer ir. A mãe me contou que ele passou por algumas experiências ruins na última escola. Falei que você conversaria com ele.

– Conversar com ele?

– Sim. Você sabe. Tranquilizá-lo. Dizer a ele que não há nada com o que se preocupar.

A Sra. Meredith pegou um pincel novo para dar um toque de ocre ao olho do cisne. – Falei que você o acompanharia à escola na segunda. Mostraria o lugar para ele. Faria com que não perdesse as aulas, esse tipo de coisa.

Francis se aproximou e parou no degrau que dava para o estúdio. – Por acaso você confirmou com ela que eu levaria o garoto para a escola na segunda e cuidaria dele pelo resto do dia?

– Sim! – A Sra. Meredith abriu um sorriso radiante. – Ele deve ser um bom menino.

– Não acha que teria sido uma boa ideia me consultar antes?

– Por quê? – A Sra. Meredith deixou de lado o pincel. – É uma oportunidade de fazer amizade com alguém da sua idade. É disso que você precisa!

– Que tal deixar que eu mesmo decida o que preciso ou não?

– Veja, estou só tentando ajudar!

A Sra. Meredith respirou fundo. – A mãe vai trazê-lo aqui amanhã de manhã por uma hora. Se você não gostar do Andy, é só me dizer, e nunca mais precisará falar com ele novamente, mas o mínimo que você deve fazer é dar uma chance.

Ela estendeu o prato para olhar o cisne finalizado, que não ficara tão bom quanto esperava. – Tenho certeza absoluta de que, quando isso acontecer, vai descobrir que vocês têm tudo para se dar muito bem um com o outro.

Francis não respondeu. Olhou para a mãe por um momento, depois deu meia-volta e deixou a cozinha. Vendo-o sair, a Sra. Meredith teve a desconcertante sensação de que aquela, afinal, talvez não tivesse sido uma ideia tão boa assim.

7

Se Francis não demonstrava entusiasmo em relação à ideia de conhecer o menino do número 39, Jessica, para sua surpresa, estava ainda menos empolgada.

– Quer dizer então que a gente não vai poder ir à exposição hoje – lamentou ela, com um tom claramente frio na voz. – Tudo porque você quer ficar com esse tal de "Andy", certo?

– Eu não *quero* ficar com ele. Eu *tenho* quê. Falei pra você. Minha mãe já convidou o garoto para vir aqui.

– Ah, suponho então que se foi isso que a mamãe mandou...

– Ora, não seja assim! – protestou Francis. – Ainda podemos ir à exposição. Só que na parte da tarde. Ele só vai ficar aqui por uma hora!

– Uma hora? – Jessica deu uma fungada. – Só isso?

– E depois, na segunda-feira, vou ter que acompanhar ele até a escola e mostrar as coisas, mas depois disso...

– Vai passar a segunda inteira com ele também?

– É por isso que a minha mãe quer que eu conheça o tal do Andy – explicou Francis pacientemente. – Ele está começando numa escola nova. Não conhece ninguém, e a ideia é que eu dê uma ajuda no primeiro dia. Depois disso, ele provavelmente não vai querer mesmo ser meu amigo, não acha?

– Está falando de quando alguém contar a ele sobre as bonecas?

– Sim.

Jessica refletiu sobre a questão. Francis podia ver que ela ainda não estava feliz.

– E o que eu devo fazer enquanto tudo isso acontece?

– Bem, você poderia...

– Quer dizer que para você está tudo bem, não é? Pode escolher entre centenas de pessoas com quem conversar, mas eu não posso, lembra disso? Só existe uma pessoa que sabe que eu existo: e essa pessoa é você!

Jessica vestiu o capuz do casaco. – Bom, acho que a gente se vê mais tarde. Se ainda estiver interessado, claro.

– Eu estava esperando – disse Francis, falando rápido antes que ela pudesse desaparecer – que você quisesse ficar. Pelo menos, mais um pouquinho.

– Ficar? Pra quê?

– Bem, para observar.

Jessica olhou para ele, sem falar nada.

– Se ficar – continuou Francis –, vai poder ver como ele é, e depois, quando ele tiver ido embora, vamos poder conversar sobre o quanto ele é horrível.

Pela primeira vez naquela manhã, Jessica quase sorriu.

– Tudo bem – disse ela. – Eu provavelmente poderei fazer isso.

O encontro com Andy não começou bem. O primeiro obstáculo foi que Andy era, na verdade, Andi – com "i", não com "y" –, ou seja, era uma menina. A figura parada na porta da frente era baixa e atarracada, com pernas fortes e roliças, um par de braços musculosos que pairavam rígidos nas laterais do corpo e uma cabeça coberta por cachos curtos e estreitos de cabelos ruivos. Aquela era, sem qualquer sombra de dúvida, uma das adolescentes menos atraentes que a Sra. Meredith já vira.

– Não fique aí parada, Arma querida – disse a mãe com uma voz alta e grave. – Diga oi à Sra. Meredith.

– Arma? – perguntou a Sra. Meredith, enquanto Andi, claramente relutante, seguia a mãe casa adentro. – Chama a sua filha de... Arma?

– É um apelido. Abreviação de Armagedom.

A Sra. Campion sorriu, afetuosa. – Ela sempre se metia em brigas quando era pequena!

– Entendo...

A Sra. Meredith sorriu, nervosa, para Andi. – Bom, vou dizer a Francis que vocês chegaram.

Ao chamar o filho no andar de cima, a Sra. Meredith já sabia que a garota parada no seu corredor dificilmente teria algo em comum com Francis. Nem mesmo sabia ao certo se era seguro deixar os dois sozinhos e decidiu que seria melhor se todos se reunissem na cozinha, onde ela poderia ficar de olho.

Francis apareceu na escada.

– Olá-ááá – ribombou a Sra. Campion. – Você deve ser o Francis. Esta é minha filha, Andi, que vai frequentar a mesma escola que você. Não é mesmo, Arma?

Arma fechou a cara e não respondeu.

– Bem, que tal vocês dois correrem lá pra cima para se conhecerem melhor, hein? – sugeriu a Sra. Campion. – Só enquanto Grace e eu batemos um papinho?

– Pensei que talvez pudéssemos todos nos sentar e conversar juntos – tentou a Sra. Meredith, entretanto, a Sra. Campion não quis nem saber da ideia.

– Imagina! A última coisa que esses dois jovens precisam é de uma dupla de coroas como nós por perto. Se mandem! – E deu um empurrão para estimular a filha na direção da escada. – E lembre-se do que eu falei!

Virou-se para a Sra. Meredith. – Eu não recusaria uma xícara de café, no entanto. Por aqui, não é mesmo?

Ela marchava rumo à cozinha enquanto falava, e a Sra. Meredith, com um olhar de *mil desculpas* para Francis, a seguiu.

– Ok... – disse Francis, olhando para Andi. – Quer ir lá em cima?

Francis ficou menos preocupado em passar uma hora com a Arma do que sua mãe poderia imaginar. Não era a primeira vez que ela havia levado alguém até sua casa para ele "trocar uma ideia", e Francis aprendera a sobreviver a esses encontros com um mínimo de constrangimento.

Ele sabia da importância de parecer normal. Sabia que não deveria falar de moda e que não deveria mostrar o quarto no topo da casa. Conseguiria sobreviver por uma hora, mesmo com alguém como a Andi.

– Se mudou para essa rua, não é mesmo? – perguntou ele, mostrando o caminho até o quarto. – Quando foi isso?

– Faz duas semanas – contou Andi.

Jessica estava parada na janela quando os dois chegaram. Tinha planejado se manter em silêncio e não dizer ou fazer nada que pudesse distrair Francis enquanto ele cuidava da visita, mas praticamente esqueceu disso quando viu a garota.

– Ei! – exclamou. – É uma menina!

– Sério?! – rebateu Arma. – Algum problema?

Ela estava olhando diretamente para Jessica, que ficou atônita demais para responder.

– Está falando comigo? – perguntou Francis.

– Não. Estou falando com ela! – Andi apontou diretamente para Jessica.

– Oh... – O cérebro de Francis absorveu a informação. – Quer dizer que consegue ver...

– Claro que eu consigo! – E Arma lançou para Francis um olhar intimidante de escárnio. – Por que eu não conseguiria?

– Bem, a maior parte das pessoas não consegue – respondeu Francis simplesmente. – Na verdade, até agora a única pessoa que conseguiu fui eu.

– Você consegue me ver inteira? – perguntou Jessica. – Roupas, cabelo... tudo?

Havia uma expressão gélida nos olhos de Andi. Dava para ver que achava que estavam zombando dela, e ela não parecia o tipo de garota que aceitava bem quando era zoada. Jessica sentiu que uma rápida explicação se fazia necessária e deu um passo à frente.

– O negócio é que eu estou morta – explicou. – Então, a maioria das pessoas não consegue me ver porque não tenho um corpo de verdade. – Enquanto falava, passou a mão pela cabeceira da cama de Francis, e seu braço atravessou a madeira como se fosse névoa.

A raiva se esvaiu do rosto da garota enquanto ela olhava para a cama, o braço e finalmente para o rosto de Jessica.

– Faz de novo – disse ela.

Obedientemente, Jessica atravessou a cama com o braço e então, com o intuito de aumentar o impacto, deu dois passos para o lado, de modo a ficar no meio do colchão.

Fez-se mais uma longa pausa, enquanto Andi continuava a observá-la, até que um sorriso tênue se formou no seu rosto.

– Uauuu! – Ela se aproximou e parou ao lado da cama, encarando o ponto onde a cintura de Jessica desaparecia no edredom. – O que você é então? Uma espécie de fantasma?

– Sim. Acho que sou.

– E ninguém mais consegue te ver? – Andi se voltou para Francis.

– Não que a gente saiba.

– E você está mesmo, tipo... morta?

Jessica fez que sim com a cabeça. – Tem mais ou menos um ano.

– Legal!

Havia todo um brilho de curiosidade e entusiasmo genuínos nos olhos de Andi, e seu sorriso se alargou.

– Isso é *tãããо* maneiro!

No andar de baixo, a Sra. Meredith se mostrava cada vez mais alarmada. A Sra. Campion vinha falando da filha já fazia uns quarenta minutos e, quanto mais histórias contava, mais a Sra. Meredith temia pela segurança do filho.

– Ela não é uma pessoa violenta por natureza – amenizou a Sra. Campion. – Está mais para... espirituosa. Ela cresceu cercada de meninos, entende? Quero dizer, por um bom tempo, ela pensou que *era* um deles. Como aqueles gansos que são criados por patos, sabe? Só que agora que está mais velha tudo ficou mais difícil. Os garotos não querem ela por perto porque é menina, e as meninas... bem, ela não é lá muito feminina.

A Sra. Meredith só pôde concordar. Não havia quase nada de feminino em Andi.

– O problema é que, embora pareça durona por fora, na verdade, ela é bastante sensível. Basta que digam uma palavra *errada* para que perca a cabeça, e ela desconhece a própria força. – A Sra. Campion soltou um suspiro. – Foi por isso que a última escola a convidou a sair.

– Fizeram isso? – indignou-se a Sra. Meredith.

– Pessoalmente, acho que eles trataram a coisa toda de maneira desproporcional. – E a Sra. Campion bebericou o café. – Quero dizer, crianças fraturam ossos o tempo todo, não é verdade? Acho que a expulsarem pelo que basicamente se trata de um acidente foi um exagero. Mas àquela altura, obviamente, os outros pais já tinham organizado o abaixo-assinado e...

– Ah... – A Sra. Meredith tentou demonstrar compaixão, mas, no fundo, queria apenas correr até o andar de cima e se certificar de que Francis ainda estava inteiro.

– E, desde que saiu de lá, ela vem tendo muita dificuldade para se ambientar. Tentamos matriculá-la em diversas escolas, mas essa foi a primeira que a aceitou... e agora ela fica dizendo que não quer ir!

A Sra. Campion refletia enquanto encarava sua xícara.

– Como se eu já não tivesse o suficiente com o que me preocupar, com Peter passando nove meses por ano no Kuwait e um pai com Alzheimer... Quando você disse no outro dia que tinha um filho da mesma idade, pensei que seria perfeito! Caso os dois consigam se conhecer, fazer amizade, talvez... talvez...

Ela parou e, para sua surpresa, a Sra. Meredith percebeu que uma enorme lágrima escorria pela bochecha da mulher.

– Me desculpe. Estou fazendo papel de boba, como sempre. – A voz da Sra. Campion já não ribombava. – É só que não há nada pior para uma mãe que ver a própria filha triste. E não saber o que fazer para melhorar. – Ela pegou um lenço e assoou o nariz. – Achei que se ela tivesse alguém que lhe fizesse companhia na escola, que pudesse lhe mostrar as coisas, que cuidasse dela... e o seu Francis parece um menino tão *bonzinho*.

– Ele é – confirmou a Sra. Meredith. – É bem bonzinho. Mas, para dizer a verdade, não sei se ele é o tipo de pessoa para ajudar alguém como a Andi.

– Não? Bem, acho que é sempre uma aposta. Espero que não se importe se eu tentar. A gente que é mãe tenta qualquer coisa quando está desesperada. – E a Sra. Campion olhou para o relógio e se levantou. – Talvez seja uma boa ideia chamá-los agora. Não quero preocupá-la, mas é melhor não deixar a Arma sozinha com estranhos por muito tempo. Não dá para saber o que pode fazê-la... mudar de humor.

Juntas, as duas mulheres foram até a antessala, e a Sra. Meredith gritou para o filho que estava na hora de Andi ir embora.

Uma cabeça surgiu sobre a balaustrada.

– Já?

Ele pareceu bastante desapontado.

– Por que temos que ir agora? – O rosto de Andi apareceu ao lado. – Acabamos de chegar.

– Temos que estar na casa do Vovô ao meio-dia em ponto – explicou rapidamente a Sra. Campion. – E você sabe como ele fica chateado quando a gente se atrasa.

– Posso voltar amanhã? – pediu Andi.

A Sra. Campion pareceu assustada. – Bem, eu... Isso depende do Francis.

– Por mim... – Francis olhou para Andi. – Amanhã é uma boa.

– Ou você pode ir à minha casa. Tenho um quarto ótimo no andar de cima. Só meu.

– Beleza. – Francis assentiu com a cabeça. – Parece legal.

A Sra. Meredith mal podia acreditar no que ouvira. Por um breve momento, imaginou que Andi pudesse, de alguma forma, tê-lo forçado a concordar com o encontro, mas Francis não aparentava estar sendo forçado a nada. Parecia algo que queria mesmo fazer.

– Por volta das nove? – Andi começara a descer a escada. – É muito cedo?

– Não. Pode ser às nove.

– Ótimo. – Andi sorriu. – Vejo você amanhã então!

– Não estou acreditando – disse a Sra. Campion num sussurro rouco. – Ele conseguiu amansar a fera. O que será que ele fez?

A Sra. Meredith não tinha a menor ideia. Ao acompanhar os convidados até a porta, ainda tentava descobrir o que mais a surpreendera. O fato de que o filho havia marcado um encontro com uma garota tão esquisita quanto a Andi ou o sorriso de Andi ao se despedir.

Ela parecia bem diferente quando sorria.

Quase como uma menina.

9

Na manhã seguinte, às nove em ponto, Andi abriu a porta da frente antes mesmo de Francis tocar a campainha e observou, admirada, enquanto Jessica flutuava pelo saguão.

– É assim que você se locomove normalmente? – perguntou.

– Acho que sim – disse Jessica –, a não ser que eu me materialize, é claro.

– Materialize?

– É quando penso em mim mesma em algum lugar.

Para esclarecer, Jessica desapareceu e então reapareceu do outro lado do saguão.

– Oh, isso é *tããão* inacreditável! – Andi bateu palmas, encantada. – E pode ir pra qualquer lugar assim?

Jessica estava explicando que normalmente só conseguia se materializar em lugares que podia ver, ou que já eram familiares, quando a voz da Sra. Campion foi ouvida dos fundos da casa.

– Tem alguém na porta, Arma?

– Está tudo bem! – Andi respondeu gritando. – É o Francis! – E o pegou pelo braço. – Venha, vamos subir para o meu quarto.

Ela conduziu Francis na direção da escada, mas então parou para observar, boquiaberta, enquanto o corpo de Jessica se movia sem qualquer esforço para o alto, atravessando o teto.

– Isso não deve ser nada demais pra você – disse para Francis. – Já viu isso tudo antes, não é mesmo?

Francis concordou que vira Jessica flutuar pelo teto diversas vezes. – Você acaba se acostumando.

– Será? – Andi olhava fixamente para os pés de Jessica, até eles desaparecerem. – Sei lá, mas acho que não vou me acostumar.

O quarto de Andi, no andar de cima, era do mesmo tamanho daquele no topo da casa de Francis, mas ocupado em sua maior parte por equipamentos esportivos. Havia uma prateleira com pesos, um aparelho de remar, uma cesta de basquete numa parede, uma esteira e, sob uma claraboia, um enorme saco de pancadas pendulava levemente de um gancho no teto.

Os três passaram a manhã inteira ali, e, durante a maior parte do tempo, Andi questionou Jessica sobre como era ser fantasma. Ela perguntou se Jessica se incomodava em estar morta. Como era a sensação? Ela comia ou sentia fome? O que via quando atravessava as paredes? Já havia encontrado outros mortos e, caso encontrasse, ficaria assustada? Achava que seria um fantasma para sempre, e o que mais poderia lhe acontecer, caso não fosse eterna?

Ao longo de duas horas, descobriu mais coisas sobre a vida de Jessica – tanto antes quanto depois da sua morte – do que Francis descobrira em duas semanas. Ele sabia que a mãe de Jessica morrera de câncer no cérebro dois anos antes e que ela passara a morar com a avó, mas Jessica nunca lhe dissera que a avó também havia morrido, no ano seguinte, e que depois disso fora levada para a casa da Tia Jo e do Tio George. As duas mortes, tão próximas entre si, pensou Francis, devem ter sido barra-pesada.

Andi ficou particularmente interessada ao saber que Francis conseguia "sentir" as mãos de Jessica quando ela o tocava, e na mesma hora quis experimentar em si própria. Sentou-se de pernas cruzadas no chão e esperou enquanto Jessica se preparava para massagear seus ombros.

– Isso é fantasmagórico! – exclamou, sentindo o calor das mãos de Jessica movendo-se dentro das suas costas. Depois disso, ela fez Jessica atravessar seus braços até saírem pela frente, de modo a parecer que o monstro de *Alien* estava irrompendo da sua barriga.

Mas a questão à qual Andi sempre voltava, aquela que mais parecia intrigá-la, era como Jessica havia morrido.

– Não consegue mesmo se lembrar de nada? – perguntou ela pela quarta vez naquela manhã. – Nadinha? Nadinha de nada?

– Nada – respondeu Jessica. – Como eu falei, é tudo um branco.

– Já tentou descobrir?

– Como? – questionou Jessica. – Sou um fantasma.

Andi pensou por um momento.

– Nós poderíamos descobrir para você, não?

– O que quer dizer?

– Tudo o que precisamos fazer é ligar para a sua tia e o seu tio. – Andi sacou um celular do bolso. – Qual o número deles?

– Não sei se é uma boa ideia – disse Francis.

– Por que não?

– Bem... – Francis escolheu as palavras com cuidado. – Acho que, se alguém da minha família tivesse morrido e eu recebesse um telefonema de um completo estranho perguntando o que havia acontecido, eu ficaria... bem chateado para começo de conversa, e provavelmente não diria nada.

– Ok... – Andi guardou o telefone. – Vamos pensar em outra coisa, então.

Ainda estavam tentando encontrar um jeito simples de descobrir como Jessica morrera, quando a Sra. Campion entrou para perguntar o que queriam de almoço.

Lá embaixo, na cozinha, enquanto Andi tinha ido ao banheiro, a Sra. Campion perguntou a Francis se ele estava ocupado naquela tarde. – Só se não estiver – disse ela. – É que eu prometi que levaria a Arma para patinar no gelo e pensei que talvez você quisesse vir com a gente.

Jessica achou a ideia maravilhosa. Por isso, Francis concordou.

– Esplêndido! – A mãe de Andi ficou radiante, e então baixou a voz e acrescentou: – Já conseguiu conversar com ela? Sobre a escola?

– Escola? – estranhou Francis.

– Ela deveria começar amanhã – disse a Sra. Campion –, mas, como expliquei para a sua mãe, ela vem demonstrando uma certa resistência.

– Ah – disse Francis. – Entendi.

– Qualquer coisa que você possa dizer para encorajá-la, sabe, ajudá-la a voltar aos trilhos... – a Sra. Campion olhou com uma expressão de súplica para Francis – ... eu ficaria *muito* agradecida.

Sentando-se para almoçar, Francis se perguntou o que deveria fazer para convencer alguém como Andi a ir à escola. Ele nem mesmo sabia se queria tal coisa, e decidiu que, caso Andi tocasse no assunto, não teria problema algum em contar o que quisesse saber, mas, caso contrário, ele próprio não diria nada.

10

A patinação no gelo foi mais divertida do que Francis esperava. Andi era uma patinadora experiente e deslizava no gelo como um foguete, dando voltas no rinque com o tipo de velocidade que fazia as mães das crianças menores tirarem os filhos do caminho às pressas. Jessica, ainda que nunca tivesse patinado antes, movia-se com uma facilidade semelhante, já que, enquanto fantasma, seus patins não tocavam de fato o gelo. Francis, de início, teve dificuldade em ficar de pé, o que dirá se mover em alguma direção específica, e passou um bom tempo se agarrando às barras nas laterais do rinque até que Andi lhe explicasse os movimentos básicos. Passada uma hora, no entanto, ele já se virava sozinho, quase sem cair e realmente se divertindo.

Andi e Jessica eram brilhantes juntas. Jessica se vestira com a roupa que copiara de um cartaz que vira na entrada, e não apenas patinava, mas fazia os rodopios e saltos mais espetaculares antes de aterrissar graciosamente sobre um pé só. Ela e Andi criaram uma série completa juntas, e foi uma pena, como bem disse Jessica, que Francis fosse o único que pudesse ver a dupla. Às quatro da tarde, quando a sessão terminou e Andi, ofegante, ainda tirava os patins, ela perguntou o que ele achava que poderiam fazer em seguida.

– Acho melhor eu ir para casa agora – disse Francis. – Tenho alguns deveres de casa que preciso terminar pra amanhã.

– Certo... – O sorriso de Andi desapareceu. – Eu também deveria ir à escola amanhã.

– Sua mãe me falou. Acho que eu deveria dizer a você que é uma boa ideia.

– Será?

– Sei lá... acho que sim. – Francis franziu as sobrancelhas. – Na maior parte é ok.

Andi soltou um grunhido.

– Como era a sua última escola? – perguntou Jessica. – Ouvimos dizer que você não gostou nem um pouco de lá.

– Era um internato.

– Era tão ruim assim?

Andi fez uma careta. – Não, era ótimo. Contanto que você fosse alta e bonita. Se fosse baixa, troncudinha e feia, e parecesse uma completa idiota de uniforme, era um inferno. – E olhou para Francis. – É assim que funciona na sua escola?

Enquanto falava, Francis formou uma imagem súbita de duas meninas da sua turma – Denise Ritchie e Angela Wyman. Eram altas, magras e bonitas, e, por motivos que ele nunca realmente entendeu, pareciam ter o poder de decidir quem era digno de se falar e quem deveria ser ignorado. Na condição de uma das pessoas que elas ignoravam, ele nunca gostou muito das duas.

– Acredito que sim – disse ele –, mas acho que você não precisa se preocupar. Você não é faixa preta de judô ou algo assim?

– Caratê – corrigiu Andi, mal-humorada –, mas ser capaz de bater nas pessoas não ajuda a fazer amizades, não é mesmo? Significa apenas que você passa a maior parte do dia sozinha.

– Você não estaria sozinha na escola do Francis – disse Jessica. – Teria a nós dois. – Ela olhou para Francis. – Não teria?

– É... Bem... – Francis hesitou. – Se ela quisesse...

– Oh, muito obrigada – agradeceu Andi. – Essa é uma demonstração reconfortante de entusiasmo.

– Desculpa. – Francis corou de leve. – É só que... se vier mesmo para a nossa escola, talvez você não queira de fato andar comigo. Eu não me encaixo muito bem, sabe? Sou diferente.

– Diferente? – Andi franziu as sobrancelhas. – Como?

Fez-se uma longa pausa.

– Eu já tinha me esquecido disso – falou Jessica. – É melhor você mostrar para ela.

Quando voltaram à avenida Alma, Francis conduziu Andi escada acima até o quarto no topo da casa. Ele a observou enquanto os olhos dela absorviam a máquina de costura, os desenhos na parede e as prateleiras de bonecas.

– Foi o Francis que fez aquilo – contou Jessica, apontando para Betty, o manequim, agora vestida numa camisa de algodão off-white finalizada. – E fez tudo isso aqui também.

Ela flutuou até as bonecas. – É uma espécie de história da moda nos últimos cinquenta anos.

Andi a seguiu e pegou uma das bonecas, uma figura quase toda vestida num couro vermelho cheio de rebites.

– Você fez isso? – perguntou ela.

Francis confirmou com a cabeça.

– Ele criou todos os desenhos também. – Jessica gesticulou para as imagens na parede. – São todos designs próprios. Ele é brilhante!

– É isso que torna você diferente? – estranhou Andi, olhando para Francis.

– Bem, esse não é o tipo de passatempo que faz de você o herói da turma.

– Ráää! – Andi soltou uma gargalhada esquisita. – Tenho um tio que trabalha na indústria da moda. A casa dele é toda assim, e ele ganha uma fortuna! – Colocando a boneca de volta na estante, continuou: – Isso não é *diferente*. Se quer ser diferente, tente ser uma menina que parece tanto com um menino que a professora manda você para o vestiário errado.

– Se estão falando sobre ser diferente – disse Jessica –, vocês dois deveriam tentar estar mortos e ninguém falar com vocês por um ano.

Francis respirou fundo.

– Nesse caso – disse ele lentamente –, talvez devêssemos ficar juntos amanhã. Nós três.

– Eu supertopo! – vibrou Andi.

Algum tempo depois, naquela mesma noite, Jessica sugeriu que, se Andi estava preocupada em como ficaria de uniforme escolar, deveria pedir ajuda a Francis.

– Não entendi – disse Andi.

– Ora, se alguma peça não cair bem – explicou Jessica –, pode pedir a ele que altere. Ele é fera nesse tipo de coisa.

Andi parecia na dúvida.

– Deveria deixar ele tentar – sugeriu Jessica. – Deveria mesmo.

Andi, então, foi para casa e voltou alguns minutos mais tarde com o uniforme que a mãe comprara na semana passada. Ela tirou a calça jeans, colocou a saia e o blazer, e examinou seu reflexo no espelho. Era exatamente tão ruim quanto lembrava. A saia se pronunciava nas laterais e nas costas, fazendo com que parecesse ainda menor e mais atarracada do que já era.

– Sim... – Francis estudou-a criticamente. – A saia é a primeira coisa em que precisamos mexer. – Ele deu voltas em torno dela diversas vezes, fazendo marcas no tecido cinza com um pedaço de giz. – Está tudo errado. Mas se refizermos as costuras laterais... e a bainha, é claro. Não deve ser muito difícil.

Um momento depois, com a saia disposta na mesa sob a claraboia, ele começou a desfazer os pontos, para, em seguida, cortar as partes separadas com uma tesoura.

Parada ali com a roupa de baixo, Andi o observava, um pouco nervosa.

– Não precisa se preocupar. – Jessica estava ao seu lado. – Ele sabe o que está fazendo.

E certamente dava a impressão de saber. As duas assistiram enquanto, com dedos hábeis, ele juntou com alfinetes ambas as peças, para depois colocar um carretel de linha cinza na máquina e começar a fazer uma nova costura. Em menos de vinte minutos, ele já devolvia a saia a Andi, pedindo que a experimentasse.

O resultado foi extraordinário. Ainda era a mesma saia, feita do mesmo tecido e vestida pela mesma pessoa, mas agora não mais se pronunciava nas costas, o comprimento estava perfeito e parecia... bem, parecia o que se espera de uma saia.

– Nada mau – murmurou Francis. – Vou só fazer a bainha e depois vamos ver se temos tempo para mexer em alguma coisa no blazer.

A Sra. Campion não podia deixar de pensar que aquele havia sido um dia excepcionalmente bem-sucedido. Ela fora ao número 47 para verificar se tudo ainda corria bem entre sua filha e Francis, e então a Sra. Meredith lhe mostrara as cerâmicas. Os pratos e tigelas que produzia eram encantadores, realmente encantadores, e era estranho pensar que ela encontrava dificuldade em vendê-los.

A Sra. Campion tinha uma razoável experiência em vender coisas. Nos tempos antes de Andi nascer, trabalhara como gerente comercial numa empresa de material elétrico, e a ideia de que as duas mulheres deveriam se unir lhes veio à mente quase ao mesmo tempo. A Sra. Meredith faria os pratos e as tigelas, e a Sra. Campion cuidaria da venda. Obviamente, antes teria que resolver esse negócio de fazer com que Andi voltasse à escola, mas se as coisas continuassem a correr bem com Francis, talvez em uma semana ou duas...

Seus pensamentos foram interrompidos pelo som da porta sendo destrancada, e a Sra. Campion se dirigiu ao saguão de entrada, onde deu de cara com Andi tirando a chave da fechadura.

– Você está usando seu uniforme! – disse ela, feliz da vida.

– Estava mostrando para o Francis – contou. – Para ter certeza de que vai estar legal para amanhã.

– Amanhã? – A Sra. Campion mal conseguia acreditar no que ouvia. – Você vai à escola amanhã?

– Francis disse que precisamos sair por volta de oito e meia. – Andi se encaminhou para a escada. – Por isso preciso acordar às sete e meia. Tudo bem?

– Sim, mas é claro. – A Sra. Campion tentou suprimir a perplexidade na voz. – Eu chamo você!

Como será que Francis tinha conseguido aquilo, perguntou-se. Como tinha feito com que ela mudasse de ideia? Indo mais direto ao ponto, como tinha conseguido transformar sua filha, de intransigente e profundamente ressentida, na menina alegre e radiante que subia a escada rumo ao quarto, e tudo no espaço de um dia e meio?

Era um milagre. A coisa toda era um milagre.

11

Brenda Parsons, a nova diretora da Escola John Felton, ficou um pouco surpresa quando Francis apareceu na sua sala, na manhã de segunda-feira, solicitando que Andi fosse colocada na mesma turma que ele. A Sra. Parsons havia lido o perfil de Andi e estranhou: será que o menino sabia no que estava se metendo?

– Tem certeza? – perguntou. –Você sabe, ela está chegando aqui com uma certa... reputação.

– Eu sei – respondeu Francis. – Mas a gente parece se dar bem. E pensei que, se estivéssemos na mesma turma, isso talvez pudesse ajudar Andi a se enturmar.

– Sim. Bem, é uma ideia nobre.

A Sra. Parsons consultou uma pasta em sua mesa. – Mas receio que não será possível.

– Hummm... – Francis pareceu bem desapontado. – Por que não?

– Segundo a ficha da Andi, o desempenho dela não está no mesmo nível que o seu. Se a colocássemos na sua turma, ela nunca conseguiria acompanhar as lições.

– Entendi... – Francis franziu as sobrancelhas. – Não é possível que tenha havido algum tipo de erro?

– Erro?

– É só que, quando eu estava fazendo o meu dever de Matemática outro dia – disse Francis –, tive a impressão de que a Andi não teria grandes problemas com ele. Nem um pouquinho.

– É mesmo?

A Sra. Parsons olhou para o histórico de Matemática na ficha de Andi. O documento dizia coisas como "tem pouca habilidade natural" e "não faz esforço algum para atingir seu potencial", o que, ao menos, sugeria um potencial a ser atingido.

– Vamos fazer o seguinte... – E fechou a pasta. – Como ela é nova por aqui, vamos ver como as coisas se saem por uma semana e, se o desempenho dela for tão bom quanto você está dizendo, eu subo a Andi de nível.

– Não seria possível – insistiu Francis – colocá-la na minha turma já de início e depois transferi-la para um nível *abaixo* se não funcionar? – Ele se inclinou para frente. – O negócio é que a Andi estava muito infeliz na outra escola, e isso, em parte, foi o que meteu ela em encrenca por lá. Acredito que, se estivesse comigo, as chances de isso acontecer seriam bem menores. A gente realmente gostaria de ficar junto, caso seja possível. Nós dois temos... coisas em comum.

A Sra. Parsons tirou os óculos e os rodopiou, pensativa, entre os dedos. Ela normalmente não discutia suas decisões com os alunos, mas Francis Meredith tinha um argumento válido. A julgar pelo seu histórico, Andi não se ambientaria com facilidade à John Felton, e estar ao lado de um amigo poderia ajudar a inibir sua tendência a perder o controle quando provocada.

– Tudo bem – concordou ela. – Vamos tentar do seu jeito. Mas se ela não conseguir desempenhar as tarefas, vou ter de colocá-la no nível de baixo. Não faz sentido ela estar numa turma em que não consegue acompanhar as lições.

– Claro. Muito obrigado – agradeceu Francis.

– Se ela estiver lá fora – disse a Sra. Parsons, repondo os óculos sobre o nariz –, pode contar as boas novas e pedir para que entre. Eu queria mesmo trocar uma palavrinha com ela.

Andi se sentou na cadeira diante da diretora e observou enquanto a Sra. Parsons escrevia ativamente à sua mesa.

– Ela está escrevendo um recado para a sua professora – contou Jessica, pairando atrás da cadeira da diretora –, para dizer que você irá frequentar as mesmas turmas que o Francis.

– Estou escrevendo uma mensagem para a sua professora – disse a Sra. Parsons –, para dizer que você frequentará as mesmas turmas que o seu amigo Francis. – Ergueu o olhar. – Ele argumentou de maneira muito convincente a seu respeito, e espero que tenha razão quando disse que você consegue dar conta das tarefas. O Sr. Williams provavelmente vai querer lhe passar um teste antes de permitir que frequente suas aulas de Matemática, mas suponho que isso não seja um problema para você.

– Diga para ela que tudo bem – falou Jessica. – Sou boa em Matemática. Posso passar as respostas para você.

– Tudo bem – disse Andi.

– Que bom. – A Sra. Parsons dobrou a mensagem e a colocou num envelope. – Neste caso, entregue isso, por favor, à Srta. Jossaume.

Enquanto Andi se levantava para sair, ela prosseguiu: – Mas, antes de ir, gostaria de lembrar-lhe do que falei quando você veio aqui com a sua mãe na semana passada. Se houver qualquer repetição da violência que demonstrou na sua última escola, qualquer que seja, você irá direto para a saída. Então... nada de briga, com ninguém, por motivo algum. Entendido?

– Nada de briga – afirmou Andi. – Entendido.

A manhã correu bem. Francis e Andi sentaram juntos para as aulas, com Jessica de pé entre eles, mas com o corpo afundado no chão, de modo que a cabeça ficasse na mesma altura que a deles. Na aula de Matemática, o Sr. Williams passou, como a Sra. Parsons havia avisado, um teste a Andi, para ver se ela conseguia lidar com o nível da turma. Não demorou muito tempo.

– Quanto é um quarto de uma metade? – perguntou bruscamente, quase antes de ela atravessar a porta.

– Um oitavo – disse Jessica.

– Um oitavo – respondeu Andi.

– Dezenove vezes vinte?

– Trezentos e oitenta – disse Jessica.

– Trezentos e oitenta – respondeu Andi.

– Ok... – O Sr. Williams a estudou com atenção. – Quatro mil, novecentos e noventa menos três mil e seis?

– Espera aí – disse Jessica, levantando um dedo para indicar que estava pensando.

– Espera aí – disse Andi, levantando um dedo.

– Mil novecentos e oitenta e quatro – disse Jessica.

– Mil novecentos e oitenta e quatro – respondeu Andi.

– Você passou! – O Sr. Williams sorriu. – Bem-vinda à turma superior de Matemática!

Na hora do lanche, ele disse à diretora, na sala dos professores, que a recém-chegada era claramente uma craque com números.

– Tem certeza? – perguntou a Sra. Parsons. – O relatório da última escola diz que ela não tem qualquer talento natural.

– Bem, não foi o que eu vi – disse o Sr. Williams, animado. – Fiz várias perguntas a ela durante a aula, e o que mais me impressionou foi o jeito como nunca *se apressou* para dar as respostas. Ela sempre pensou por um momento. Gostei disso. Não é todo dia que você encontra um aluno que não tem medo de parar e pensar.

– Não mesmo – disse a Sra. Parsons, com um olhar intrigado no rosto. – Não é todo dia.

Depois do sucesso na aula de Matemática, Andi deixou uma impressão similar na Sra. Archer, a professora de História, e agora, na hora do lanche, Francis e Jessica estavam lhe mostrando a escola para que soubesse onde ficava tudo.

Os três davam a volta pelos fundos do ginásio poliesportivo, na direção do laboratório de Ciências, quando encontraram Quentin Howard, que vinha no sentido oposto.

– Ah! – Seu rosto se iluminou quando viu Francis. – Se não é o bonequeiro em pessoa. E veja só! Ele encontrou uma boneca de carne e osso! – Escaneou a diminuta Andi de cima a baixo. – Ele já começou a tricotar um casaquinho pra você?

O que se deu em seguida aconteceu tão rápido que, se Francis tivesse piscado, teria perdido tudo. Andi deu um passo à frente e, com a mão direita espalmada, bateu com os dedos rígidos na boca do estômago de Quentin. E então, antes mesmo que a dor ficasse registrada em seu rosto, o joelho esquerdo dela se chocou contra a coxa dele. Quentin tentou gritar, mas não havia ar em seus pulmões para soltar um ruído. Em vez disso, as pernas cederam, o corpo se dobrou, e Andi o segurou pelo braço, ordenando que um Francis boquiaberto pegasse o outro.

– Nos dê uma mão aqui – pediu ela, apontando com a cabeça para uma mureta. – Vamos sentar ele ali.

Horrorizado, Francis obedeceu, e juntos arrastaram o semiparalisado Quentin até a mureta e o fizeram sentar-se. Andi empurrou a cabeça de Quentin entre as suas próprias pernas.

– Você só está sem ar – disse ela, tranquila. – Vai ficar bem em alguns minutos. – E esperou pacientemente até que o esforço desesperado de Quentin para recuperar o fôlego diminuísse para um chiado asmático. Ela então segurou o cabelo dele com força, levantou a cabeça do coitado e puxou-lhe o rosto até ficar a apenas alguns centímetros do seu.

– Vamos deixar uma coisa bem clara, ok? – Sua voz ainda estava calma, mas o brilho nos olhos era inconfundível. – Não gosto quando as pessoas são grosseiras comigo. Ou com os meus amigos. E se *algum dia* você fizer isso outra vez… Ou se eu ficar sabendo que você disse algo grosseiro sobre mim pelas minhas costas… Ou até mesmo se eu *pensar* que você possa estar *pensando* algo grosseiro sobre mim, ou sobre o meu amigo aqui, você vai voltar para casa com algo muito pior que alguns hematomas. Então é melhor ter bastante cuidado com *o que* vai dizer e *para quem* vai dizer. Entendeu bem?

Quentin fez que sim com a cabeça.

– Claro. – Andi soltou o rosto do garoto e se virou para os outros dois. – Vamos.

Nervoso, Francis olhou ao redor para ver se havia alguém por perto. – Acho que você não deveria ter feito isso – disse ele.

– Ele estava sendo grosseiro – retrucou Andi.

– Isso não é motivo para bater nele. – Francis deu uma olhada para o ponto onde Quentin tentava bravamente se levantar. Sua perna cedeu quase de imediato e ele caiu no chão, soltando um gritinho de dor. – Veja! Ele não consegue nem andar!

– Vai passar daqui a alguns minutos – disse Andi. – Ele vai ficar bem.

– E se ele contar pra alguém o que você fez? E se for até a Sra. Parsons?

– Pode até ser que conte – disse Andi. – E mesmo que vá, ainda prefiro isso a ele achar que pode dizer aquele tipo de coisa impunemente. Agora ele sabe que, se fizer isso de novo, sofrerá as consequências.

– Sim, mas… – Francis deu uma última olhada em Quentin antes de partirem novamente rumo ao laboratório de Ciências. – Bem, se algum dia eu for grosseiro com você, não me importaria de receber um aviso *antes* que comece a bater em mim. Pelo menos, me dê uma chance de pedir desculpas.

– Você?! – Andi riu. – Não acho que você saberia ser grosseiro. Pessoas como você são simplesmente… legais.

– Você sempre foi legal. – Jessica atravessou sua mão fantasma pelo outro braço de Francis. – Todo mundo consegue ver isso.

– Minha mãe disse que eu deveria tentar ser mais como você. – Andi ainda estava falando com Francis. – Ela disse que eu deveria aprender a dar as costas quando alguém diz algo para me provocar. Não dar importância. Ignorar. Não sei por que não consigo. Acho apenas que sou feita de outra maneira. – Ela ergueu o olhar para ele. – Mas sempre invejei pessoas como você.

– É engraçado você falar isso – disse Francis –, porque eu sempre tive um pouco de inveja de gente como você.

12

Naquela noite, Francis estava acordado com Jessica no quarto do sótão, trabalhando numa saia para combinar com a blusa de algodão off-white. Ele havia encontrado um rolo de tecido Príncipe de Gales, que achava que cairia bem com a peça, e normalmente teria começado fazendo um croqui de alguns designs possíveis antes de escolher qual deles mais o agradava.

Com Jessica, entretanto, nada disso era necessário. Se ele mostrasse a ela o tecido e explicasse por alto o que tinha em mente, Jessica se "imaginava" no design e ele conseguia ver de imediato se a peça funcionava ou não. Caso quisesse mudá-la, tudo o que tinha a fazer era pedir e Jessica "pensava" numa bainha diferente, numa cintura diferente, num corte mais justo, num leve alargamento... Ela poderia, como disse Francis, ganhar uma fortuna na indústria da moda, se ao menos conseguisse resolver essa coisa de as pessoas não a enxergarem.

Foi quando cortava o molde para o design que finalmente haviam escolhido, que ele disse algo sobre o incidente com Quentin naquela manhã e como esperava que ninguém ficasse sabendo.

– Porque, se a Sra. Parsons souber – disse Francis –, ela vai mandar Andi embora. Sei que vai. Basta que Quentin se queixe. Ou conte para os pais.

– Não creio que vá se queixar – disse Jessica. – Ele não vai querer que todo mundo saiba que levou uma surra de uma menina. Especialmente de uma que tem a metade do tamanho dele. – E fez uma pausa, antes de acrescentar, pensativa: – Mas pode ser que uma das outras conte.

– Outras? – Francis ergueu o olhar do tecido.

– Ué, mas é claro! – Jessica abriu um sorrisinho. – Você não estava lá, estava? Mais tarde, ela fez a mesma coisa com a Denise Ritchie e a Angela Wyman.

– Está falando *sério*?! – Francis a encarou. – Onde? Quando?

– No vestiário das meninas. Elas entraram quando Andi arrumava as coisas dela depois da aula de Educação Física. Angela disse algo como "Olha o cabelo daquela ali, parece um capacho de porta", e Denise mandou, "Deveria existir uma lei que obrigasse a esconder algo tão feio assim", e, quando as duas perceberam, Andi já estava bem diante delas.

Ela agiu, segundo Jessica, de maneira bastante tranquila. Não levantou a voz nem gritou. Apenas falou que tinha um amigo que recomendava que ela desse às pessoas uma oportunidade de se desculpar por terem sido estúpidas e grosseiras, e que esta então era a oportunidade delas. A reação de Angela foi tentar empurrar Andi para fora do caminho, e, um segundo depois, ela estava curvada no chão, sem ar, assim como acontecera com o Quentin. Andi então se virou para Denise, que usou um palavrão contra ela, e, no momento seguinte, também se viu arriada.

– Andi botou as duas sentadas num banco – continuou Jessica – e lhes deu "o" sermão. Sabe? Como ela fez com o Quentin? Ela estava realmente calma e tranquila, mas contou às meninas o que aconteceria se tornassem a ser grosseiras. Acho que as duas entenderam a mensagem.

Francis ouviu a história boquiaberto de surpresa. – Ela se envolveu em duas brigas? No primeiro dia de escola? Depois de tudo o que a Sra. Parsons falou?

– Sim. Eu sei que é errado e que ela não deveria ter feito isso, mas... – Um sorriso se abriu no rosto de Jessica. – Foi *brilhante*!

Francis até podia não aprovar o que Andi fizera, mas o resultado, ao menos em curto prazo, foi surpreendentemente agradável.

Ainda que nem as meninas e muito menos Quentin tivessem denunciado o que acontecera, num piscar de olhos se espalhou entre os alunos o boato de que não se mexia com Andi impunemente. No dia seguinte, Francis percebeu que as pessoas tinham muito cuidado com o que diziam quando estavam perto dela. A maioria nem tentava se aproximar.

Denise e Angela, em particular, tomaram a precaução de não mais cruzar o caminho dela. Nas semanas que se seguiram, nenhuma das duas falou uma só vez com ela ou sobre ela. Era quase como se tivessem decidido fingir que Andi não existia.

Já com Quentin os resultados foram mais radicais. Se passassem por ele no corredor, Quentin evitava qualquer contato visual e apressava o passo o máximo que podia. Na aula de Ciências que tinham juntos, ele se sentava o mais distante possível de Francis e Andi, e nesses dias não se ouviu qualquer indício das piadas de mau gosto sobre as roupas que Francis poderia estar fazendo.

A diferença que isso teve na vida escolar de Francis foi extraordinária. Ele ainda não aprovava o que Andi fizera, mas poder passar o dia sem temer o momento em que Quentin pudesse aparecer e o que diria era como se tivessem lhe tirado um peso enorme dos ombros. Tivera que se preparar mentalmente para isso por tanto tempo, que quase esquecera quanto era bom não ter que se preocupar com o que as pessoas poderiam dizer. Porque agora ninguém dizia nada.

Não ousavam.

Como uma espécie de presente de agradecimento, Francis fez uma camiseta para Andi. Era vermelha, sua cor preferida, com um design pouco convencional na frente – e ela gostou. Gostou tanto que lhe pediu para fazer outra, de modo a ter uma para usar enquanto a outra estivesse lavando. Ele atendeu ao pedido de Andi e, pouco depois, fez para ela uma espécie de colete jeans que combinava com a camiseta, e ela amou.

A Sra. Campion viu a peça e ficou bastante impressionada.

– É ele mesmo que costura tudo? – perguntou à Sra. Meredith, quando estavam sentadas um dia na cozinha. – Ou você o ajuda?

A Sra. Meredith riu. – Não posso nem chegar perto da preciosa máquina de costura – contou. – Sou destrambelhada demais.

Ela levantou o cheque que a Sra. Campion acabara de lhe entregar. – Ouça, tem certeza de que tudo isso é meu? Parece muito por algumas poucas tigelas.

– Isso é só o começo – disse a Sra. Campion alegremente. – Prometo a você que, depois que eu engrenar, vai precisar contratar gente para ajudá-la.

Ela bebericou seu café, pensativa. – É engraçado, não é?

– O quê?

– Como os dois se deram bem. Quero dizer, a Arma nunca teve o menor interesse por moda e Francis não parece ligar muito para esporte... – A Sra. Campion fez uma pausa. – E ainda assim eles parecem passar o tempo todo juntos. Tem alguma ideia do que tanto falam?

– Na verdade, não – disse a Sra. Meredith. – Voltam da escola, desaparecem lá em cima, e isso é praticamente tudo o que vejo deles.

– Certo... – A Sra. Campion assentiu com a cabeça. – É o mesmo que acontece quando vêm à minha casa.

Naquele momento, a porta da frente se abriu e Francis gritou lá da antessala para dizer que ele e Andi estavam subindo. Era algo que parecia envolver um monte de risadas e estardalhaço.

– Veja – disse a Sra. Campion, enquanto o barulho diminuía –, não estou reclamando. Os dois parecem felizes.

Andi e Francis *estavam* felizes, ainda que ambos tivessem dificuldade para explicar por quê. Não era como se estivessem fazendo algo de mais. Praticamente só estavam passando um tempo juntos. Iam à escola, voltavam para casa, faziam o dever, Andi se exercitava, Francis cortava moldes, desenhava...

Mas eles tinham Jessica e, como disse Andi, quase tudo era divertido quando se tinha um fantasma como companhia. Testemunhar Jessica se imaginando num traje novo – o que ela fazia inúmeras vezes por dia – tornava as roupas interessantes até mesmo para Andi. Sentar-se na sala de aula com alguém que podia, de repente, decidir posar de biquíni na mesa do professor deixava qualquer matéria engraçada, ao passo que uma caminhada pela cidade com alguém capaz de atravessar paredes e revelar o que estava acontecendo do outro lado nunca se mostrava uma atividade tediosa. Andi concluiu que era preciso estar morto para não aproveitar a vida com alguém como Jessica por perto.

Mas havia uma coisa que a incomodava. Ela ainda não tinha uma resposta para a pergunta que fizera a Jessica naquele primeiro final de semana. A pergunta sobre como ela morrera. Nem Jessica nem Francis pareciam ter muito interesse no assunto, mas Andi jamais perdera o desejo de descobrir a resposta e pensara num modo muito simples de encontrá-la. Se os outros não se importavam, decidira, ela mesma o faria sozinha.

Porque aquele era o tipo de coisa que Jessica *deveria* saber.

Todo mundo deveria saber como morreu.

13

O plano de Andi, que ela detalhou no caminho para a escola, era ir até a cidadezinha onde Jessica vivera.

– Pra quê? – perguntou Francis. – Você não pode simplesmente bater na porta da tia dela e perguntar o que aconteceu. Seria tão ruim quanto telefonar.

– Não precisamos bater na porta de ninguém – disse Andi com toda a paciência do mundo. – Só precisamos perguntar na mercearia.

– Na mercearia?

– Tinha uma mercearia na cidadezinha onde você morava, não tinha? – Andi se virou para Jessica. – Sabia que eles sabem tudo na mercearia da cidade? Tudo o que eu preciso fazer é entrar e dizer, "Eu tinha uma amiga chamada Jessica Fry, sabem me dizer o que aconteceu com ela?", e eles vão me contar. – Fez uma pausa. – Pensei que a gente poderia dar um pulo lá neste fim de semana.

Jessica disse que não conseguia ver o menor sentido daquilo. Nunca tivera interesse em descobrir por que havia morrido. Nunca lhe parecera importante. Havia, disse ela, coisas muito mais divertidas que poderiam fazer.

Andi, no entanto, insistiu.

– Você pode não ter interesse, mas *eu* tenho – disse ela. – E você terá a chance de dar uma olhada no lugar onde morava. Ver se alguma coisa mudou. Talvez procurar no pátio da igreja por uma lápide sua... nisso você *tem que* estar interessada!

Jessica observou que, caso tivesse interesse, provavelmente já teria agido, mas aquilo não fez Andi desistir da ideia. Só levaria uma hora, mais ou menos, argumentou. Tinha dito à mãe que Francis queria visitar o túmulo de uma amiga, e a Sra. Campion já havia concordado em levá-los. Jessica não *precisava* acompanhá-los, mas seria *muito* mais divertido se o fizesse...

Andi podia se mostrar muito determinada quando decidia fazer algo, por isso nenhum dos outros dois ficou surpreso quando, naquela tarde de sábado, todos se viram no carro da Sra. Campion enquanto ela os levava pelos dez quilômetros que os separavam da cidadezinha onde Jessica vivera.

Depois de estacionar o carro ao lado da igreja, a mãe de Andi disse a Francis que não tinha pressa alguma, já que ela precisava dar um monte de telefonemas. E assim, enquanto Andi se afastava para procurar a mercearia, ele abriu o portão que dava para o adro e entrou, com Jessica flutuando ao seu lado.

Não levaram muito tempo para encontrar o túmulo. Todas as sepulturas recentes ficavam na mesma ala, e uma delas era identificada por uma pequena pedra quadrada, posicionada sobre a grama. Nela estava escrito o nome de Jessica, o ano em que nascera, o ano em que morrera e as palavras *Amada Profundamente*. Em torno dela alguém havia plantado um círculo de prímulas que começavam a florescer. Olhar para aquilo provocou em Jessica uma sensação estranha.

– Então, onde você morava? – perguntou Francis.

– O quê?

– Sua casa. Ficava perto daqui?

– Era bem ali. – Jessica apontou para um grupo de casas além dos túmulos, que mal podiam ser vistas por entre as árvores do outro lado da calçada. – Rua Bannock. Nossa casa era a última à direita.

Ao dizer isso, a mente de Jessica foi preenchida por imagens – do seu quarto, em cima do saguão de entrada; de quando sentava na sala de estar para assistir televisão com a tia e o tio; das refeições que fazia na mesinha da cozinha.

– Talvez eu *vá* até lá para dar uma olhada – avisou. – Você se importa?

– Claro que não – respondeu Francis. – Vou esperar aqui.

– Obrigada. – Jessica já estava flutuando na direção da rua, com os pés roçando a grama pelo caminho. – Vou levar só dois minutinhos.

A casa estava exatamente do jeito que ela lembrava. Ao atravessar a porta da frente e entrar no corredor, encontrou o mesmo papel de parede, o mesmo carpete, os mesmos ganchos para casacos no velho painel de madeira à direita, até os mesmos casacos. Havia uma diferença, no entanto. Na parede à sua esquerda, de frente para a sala de estar, havia agora uma enorme fotografia. Era uma cópia da sua última foto escolar, e ver o próprio rosto sorrindo lhe deu a mesma sensação estranha de quando olhou para a lápide.

Jessica vagueou até a sala de estar, onde notou que a televisão fora trocada, e depois foi até a sala de jantar, que estava cheia das pastas e dos relatórios de trabalho do Tio George, para então chegar à cozinha. Nada havia mudado. A cesta de pão, o açucareiro, a chaleira... tudo estava exatamente do jeito como lembrava. Ela então olhou pela janela para o jardim por um instante, voltando em seguida para o saguão e subindo a escada.

O primeiro cômodo no andar de cima era o banheiro, o quarto da Tia Jo e do Tio George ficava à direita, o quarto extra à esquerda, e ao longo do patamar ficava o quarto na frente da casa, que um dia lhe pertencera. A porta estava fechada e, quando a atravessou, Jessica ficou chocada ao descobrir que o cômodo havia mudado completamente.

Tudo de que se lembrava não estava mais ali. A cama, o guarda-roupa, o pequeno armário com sua coleção de dragões, as prateleiras, a televisão, até mesmo o carpete e as cortinas – tudo fora removido. O quarto fora pintado, e uma mesa novinha se estendia ao longo da parede, sob a janela, com um computador, um telefone, uma impressora e uma cadeira giratória. A parede à sua direita, onde antes ficava a cama, agora estava tomada de prateleiras contendo pilhas de papéis, revistas e um grande arquivo com três gavetas.

A tia e o tio deviam ter aproveitado o espaço para acomodar parte dos seus negócios, e a única coisa que sobrara de Jessica era uma colagem pendurada na parede atrás da porta. Era composta por dezenas de fotografias suas, todas coladas num pedaço grande de papelão e cobertas por um vidro. Havia fotos suas quando bebê ao lado dos pais, outra de quando começara a andar acompanhada da mãe, depois uma com a avó e, na parte de baixo, mais fotos dos meses em que morara com o tio e a tia. Metade delas Jessica nunca tinha visto, então começou a estudá-las por longos minutos, tentando descobrir onde haviam sido tiradas. Ainda as observava quando ouviu o barulho de alguém abrindo a porta da frente.

Ela esperou, enquanto a pessoa que entrara passava rapidamente pela cozinha, para depois voltar ao saguão e subir a escada. Ouviu os passos pelo patamar, a porta se abriu...

E Tia Jo entrou no quarto.

– Onde ela se meteu? – perguntou Andi, ao chegar ao pátio da igreja e encontrar Francis sozinho.

– Foi dar uma olhada na sua antiga casa – contou Francis. – O que você descobriu?

– Nada. – Andi balançou a cabeça. – As pessoas na mercearia são novas e nunca ouviram falar de Jessica. – Batia os pés para se manter aquecida numa brisa que estava ficando gelada. – Será que vai demorar?

– Eu acho que não – respondeu Francis. – Falou que levaria só uns minutinhos.

Mas Jessica não voltou em alguns minutinhos. Nem em vinte.

– Acha que sua mãe se importaria se eu desse a volta na casa para ver se tem algo de errado?

– Acha que tem algo de errado?

– Sim – respondeu Francis. Ele não fazia ideia por quê, mas achava.

A Sra. Campion disse que não se importava em esperar – estava no meio de uma longa lista de telefonemas – e Andi disse que ficaria do lado do carro enquanto Francis se encaminhava à rua Bannock. Quando chegou à última casa à direita, encarou a construção semigeminada com fachada de pedra, um jardim bem cuidado e uma garagem na lateral, e se perguntou o que deveria fazer em seguida. Não havia sinal de Jessica. Espiou as janelas por sobre a cerca para tentar enxergá-la do lado de dentro. Nada.

Francis pensou em tocar a campainha, caso ela estivesse em apuros e precisando de ajuda, mas logo se deu conta de que, se alguém atendesse, seria estranhíssimo ele perguntar se havia um fantasma na casa. Ainda estava ponderando sobre o que fazer, quando a porta da frente se abriu e uma mulher apareceu. Era alta, com cabelos negros e curtos, e vinha na sua direção.

– Olá – disse ela. – Está tudo bem?

– Sim, obrigado – respondeu. – Estou... esperando uma amiga.

– Entendo. – A mulher acenou com a cabeça. – Quer conversar enquanto espera?

– Não. Não precisa. – Francis recuou. – Estou bem.

– Ok. – E a mulher colocou a mão no bolso da saia, tirou um cartão e entregou a Francis. – Talvez queira ficar com isso. Caso mude de ideia.

Francis pegou o cartão. Nele estava escrito *Joanna Barfield – Consultora*, com um número de telefone e um endereço de e-mail embaixo.

– A senhora... conhecia uma menina chamada Jessica Fry? – perguntou Francis.

A mulher já estava voltando para a casa, quando parou e se virou.

– Sim. Era minha sobrinha. Morreu faz pouco mais de um ano. Você a conhecia?

Francis não sabia bem como responder à pergunta.

– Ouvi falar dela – disse.

A mulher assentiu com a cabeça e apontou para o cartão. – Pode ligar para esse número a hora que quiser – disse ela. – *Qualquer hora* – reforçou.

14

Quando Francis voltou ao carro, a Sra. Campion ainda estava sentada no banco do motorista, com o telefone colado à orelha, enquanto Andi se apoiava no capô, esperando por ele.

– Encontrou a casa? – perguntou ela.

– Sim.

– E Jessica?

Francis fez que não com a cabeça.

– O que devemos fazer então?

– Acho que… ir para casa.

– E deixamos ela para trás?

– No caso da condição de Jessica, não – disse Francis. – Tudo o que ela precisa fazer é fechar os olhos e se imaginar de volta. Talvez já tenha até feito isso.

Mas, ao regressarem à avenida Alma, os dois adolescentes não encontraram sinal algum de Jessica. Não estava na casa de Francis, tampouco na de Andi. Não apareceu naquela noite e não se viu sinal dela no dia seguinte.

Nem no outro.

E nem no outro.

Não foi um período fácil.

A amiga com quem Francis compartilhara quase todas as suas horas acordado durante o último mês sumira da sua vida e ele não fazia ideia de onde ela tinha ido parar ou por quê. Ela desaparecera de maneira tão súbita e inesperada quanto aparecera naquele primeiro dia no pátio da escola. E ele estava morrendo de saudades.

Andi também sentia a falta de Jessica, e os dois tinham dificuldades em aceitar o desaparecimento. Ficaram muito próximos nos dias que se seguiram, falando sem parar sobre o que poderia ter acontecido, aonde Jessica poderia ter ido e quando poderia voltar. Mas a verdade era que não tinham a menor ideia.

Na noite de segunda-feira, após um dia um tanto melancólico na escola, os dois estavam no sótão, e Andi experimentava a blusa de algodão off-white que Francis vinha ajustando para ela. Ajustar a blusa e a saia xadrez Príncipe de Gales para que caíssem bem em Andi fora ideia de Jessica – ela que falara que estavam sendo desperdiçadas em Betty, a manequim –, e foi enquanto marcava as alterações que Francis subitamente percebeu que Andi estava chorando.

– É tudo culpa minha, não é? – lamentou, com lágrimas escorrendo pelas bochechas. – Se eu não tivesse insistido tanto para ela ir à cidade conosco, nada disso teria acontecido. Ainda estaria aqui com a gente, não estaria?

– Não sabemos se algo *realmente* aconteceu. – Francis esticou o braço para pegar a blusa antes que Andi pudesse usar a manga para assoar o nariz. – Pode ser uma coisa que os fantasmas fazem de vez em quando. Teremos que perguntar a ela quando voltar.

– Mas e se ela nunca mais voltar? E se foi embora pra sempre e nunca mais...

– Nós veremos ela de novo – garantiu Francis, com firmeza. – Sei que veremos.

– Você sabe?

– Sim – respondeu Francis. – Não sei como posso saber. Mas eu sei que sei.

E de fato havia algo bem lá dentro de Francis que lhe dizia que a história ainda não havia chegado ao fim, que Jessica voltaria.

Mesmo assim, foi um grande alívio quando ela apareceu no seu quarto enquanto ele se aprontava para a escola na manhã de quarta.

Jessica vestia uma camisola de hospital – nada mais, nem mesmo sapatos –, e o olhar estava levemente atordoado. Não que Francis tivesse se incomodado. Ficara apenas extremamente feliz em vê-la.

– Graças a Deus! – exclamou ele. – Por onde você andou? Está tudo bem?

– Acho que sim. – Jessica tinha o olhar de quem fora nocauteada por um caminhão e ainda não havia se recuperado por completo.

– O que aconteceu então?

Jessica, como ficaram sabendo, não fazia ideia de onde estivera ou do que acontecera. Tudo o que ela sabia era que encontrara a si mesma no quarto no terceiro andar do hospital naquela manhã, sentindo-se, como descreveu, "um tanto estranha" – e sem nem saber que dia era.

– Chequei o calendário na mesa da enfermeira – contou –, que dizia ser quarta-feira, então me dei conta de que não me lembrava da segunda e da terça. – Ela franziu as sobrancelhas. – A última vez que vi vocês... foi no sábado, certo?

– Fomos até onde você morava antigamente – disse Francis. – À tarde.

– Nós fomos? – Jessica pareceu intrigada.

– Fomos ao pátio da igreja e depois você foi até a casa da sua tia e não voltou mais. Não se lembra?

– Hum... – Jessica assentiu com a cabeça. – Sim, eu me lembro. Um pouco.

– Aconteceu alguma coisa na casa?

Jessica abriu a boca para responder... e desapareceu de novo.

Desta vez, felizmente, ela não ficou desaparecida por muito tempo, e uns vinte minutos depois ressurgiu entre Francis e Andi, ainda vestindo a camisola do hospital, enquanto os dois já iam para a escola.

– O que aconteceu? – perguntou Jessica.

– Você desapareceu de novo – respondeu Francis.

– De novo? – Jessica franziu as sobrancelhas. – Por que eu continuo fazendo isso?

– Não sabemos – disse Andi –, mas eu queria que você parasse. É algo que incomoda bastante.

– E você precisa colocar roupas de verdade – disse Francis. – Está toda descoberta nas costas.

– Oh, sim, claro... – Jessica se concentrou por um momento e a camisola de hospital foi substituída por uma calça jeans e um casaco. – Melhor?

– *Muuuito* melhor. – Andi sorriu. – Não faz mesmo ideia do motivo do seu desaparecimento?

– Não. – Jessica balançou a cabeça. – Nem um pouquinho.

Depois que ela "desapareceu" outras duas vezes ao longo da manhã, no entanto, parte do motivo logo se tornou claro. Em ambas as ocasiões, Jessica desaparecera quando Francis ou Andi lhe perguntaram sobre o que havia acontecido durante a visita à casa da tia no sábado.

Rapidamente os três decidiram que não deveriam mais falar de tias, casas, da cidadezinha ou do que quer que tivesse acontecido naquele dia. Não deveriam tampouco fazer qualquer outra investigação sobre o passado de Jessica. Por mais interessante que pudesse ser descobrir o motivo da sua morte, se isso a faria desaparecer, então não valia o risco. A vida com o fantasma de Jessica era boa demais para que fizessem algo que pudesse significar sua perda.

Especialmente, como disse Andi, com um teste de Matemática se aproximando na sexta-feira.

A visão de seus filhos felizes provocava um encanto sem fim, tanto na Sra. Campion quanto na Sra. Meredith. A Sra. Meredith percebeu com alívio como Francis havia perdido aquele olhar oprimido e levemente angustiado que por tanto tempo a preocupara, ao passo que a mudança em Andi era algo em que a Sra. Campion ainda custava a acreditar. Tudo na filha parecia transformado. Ela vinha recebendo relatórios positivos da escola, tinha parado de bater nos colegas, até mesmo se vestia de maneira diferente – algo que a Sra. Campion achou particularmente intrigante.

Andi Campion jamais se interessara por moda – fora da escola, vestia simplesmente a mesma calça jeans e uma T-shirt básica todo dia, até se desintegrarem –, mas nas últimas semanas aquilo mudara. Começara com as camisetas *fashion* que Francis criara para ela, depois pedira dinheiro à mãe para comprar roupas novas na cidade, e agora, quando a Sra. Campion a convencera a encontrar algo bonito para vestir quando fossem a Londres, ela havia aparecido com uma blusa de algodão off-white e uma saia xadrez Príncipe de Gales elegantérrimas, que caíam nela como um sonho. A Sra. Campion quase chorara quando vira aquilo. Sua pequena Arma! Usando uma saia de verdade!

O que provocara aquelas mudanças ela não sabia dizer, mas a Sra. Campion estava certa de uma coisa. A pessoa responsável era Francis. Ela não sabia *como* ele havia feito aquilo, mas, aos seus olhos, o menino do número 47 tinha o status de algo próximo a um deus.

Ela contava a história para todo mundo quantas vezes podia. Contava como sua filha se recusara veementemente a ir para a escola, como ela conhecera Francis e como, em menos de um dia, ele não só a convencera a ir à escola como também a se empenhar nos estudos.

– Não tenho a menor ideia de como ele conseguiu – dizia ela com sua voz estrondosa –, e não ousei perguntar, mas vou dizer uma coisa a vocês. Aquele é o menino mais incrível que já conheci. Definitivamente. Sem sombra de dúvida. O menino mais extraordinário.

Ela repetiu a história o máximo que pôde a quem quisesse ouvir, o que levou ao que, sob muitos aspectos, é a parte mais estranha desta história.

15

— Ontem à noite, recebi uma ligação de uma pessoa chamada Angela Boyle – disse a Sra. Meredith durante o café da manhã – perguntando se você poderia ajudar.

– Ajudar com o quê? – questionou Francis.

– Ela tem um filho chamado Roland, que estuda no Colégio St. Saviour's, mas há um mês decidiu que não quer mais ir à aula. Ela esperava que você pudesse fazer com que ele mudasse de ideia.

– Eu? – estranhou Francis. – O que ela quer que eu faça?

– Quer que você converse com ele. Como fez com a Andi. Falei para ela que você passaria lá hoje de manhã.

Francis soltou um suspiro. Um dia, pensou, ele precisaria ter uma conversa séria com a mãe sobre limites.

– Você não tem nada para fazer, ou tem?

Era sábado, e Andi tinha ido a Londres ver o pai, que voltara do Kuwait por 24 horas. O fato de que Francis havia planejado o dia livre para ficar olhando as vitrines com Jessica não era algo que pudesse explicar à mãe.

– Não sei como posso convencer alguém que não conheço a ir para a escola.

– Tudo o que precisa fazer é conversar com ele. – A Sra. Meredith se serviu de outra xícara de café. – Eles moram num daqueles casarões na avenida Paterson. De bicicleta não vai levar muito tempo para chegar lá e, se não der certo, você poderá voltar direto para casa. Pense nisso como a sua boa ação do dia.

Relutante, Francis concordou.

– Ainda que essa coisa toda não faça o menor sentido – disse ele a Jessica quando ela apareceu meia hora depois. – Afinal, o que eu posso dizer que faria um completo estranho resolver voltar para a escola depois de ter decidido que não quer mais ir?

– Nada – respondeu Jessica, imaginando a si mesma de luvas e um cachecol de caxemira. – Então não vai demorar muito tempo, vai?

Na verdade, levou mais tempo que os dois esperavam. Para começar, o pneu de Francis furou e ele levou vinte minutos para trocar. Depois, descobriu que a casa ficava bem no final da Paterson, o que significava pedalar por quase mais dois quilômetros e meio. Quando finalmente chegou, esbaforido e suado, não estava com humor para ajudar ninguém, mas deixou a bicicleta no cascalho em frente a uma das maiores casas que ele já vira e tocou a campainha.

– Vou entrar para dar uma olhada – disse Jessica. – Vejo você num minuto, ok?

Francis concordou com a cabeça e esperou na varanda, até que a tal da Sra. Boyle abriu a porta. Era uma mulher pequena, de aparência preocupada, e retorcia um lenço nervosamente entre os dedos.

– É muita gentileza sua, Francis – disse ela, quando ele se apresentou. – Ficou sabendo do probleminha do Roland, não?

– Minha mãe disse que ele não quer mais ir à escola.

– Isso mesmo. – E a Sra. Boyle corou. – Não estamos esperando milagres, é claro, mas se você pudesse conversar com ele e descobrir o que há de errado. Talvez fazer com que ele... – hesitou. – Frieda Campion disse que você fez coisas maravilhosas pela filha dela e, caso conseguisse algo assim pelo meu Rollo...

– Vou falar com ele – concordou –, mas, se ele não quer ir à escola, acho que não vai adiantar muito.

– Não. Não, possivelmente não. – Os gestos da Sra. Boyle com o lenço se intensificaram. – Mas fico *muito* grata só por você tentar.

Ela ergueu a cabeça e berrou para o corredor com uma força surpreendente. – Roland! Seu amiguinho chegou! – E se virou para Francis. – Falei que você estava vindo e ele ficou superanimado, de verdade. Roland! – gritou outra vez. – Roland! Venha dizer oi!

Os dois esperaram por mais algum tempo, mas, como não viram qualquer sinal de Roland, a Sra. Boyle conduziu Francis pelo saguão de entrada e depois por um corredor que levava ao quarto do menino, onde bateu timidamente na porta.

– Está aí, querido? – perguntou ela. – O seu amigo Francis está aqui para ver você. Falei sobre ele, lembra?

Nenhuma resposta.

– Talvez você possa entrar sozinho – cochichou a Sra. Boyle. – Ele tem andado com o humor estranho ultimamente, mas sei que quer ver você, de verdade.

Francis abriu a porta e entrou.

As cortinas estavam totalmente fechadas, e a única luz no ambiente vinha da tela de um computador num dos cantos, mostrando dois zumbis que avançavam na direção de um homem com uma motosserra na mão. À medida que seus olhos se ajustavam ao escuro, Francis conseguiu enxergar a cama desarrumada junto a uma das paredes, o chão repleto de roupas e latinhas de refrigerante vazias, uma mesa coberta com pratos deixados pela metade e uma televisão gigante pendurada numa parede.

Já o próprio Roland estava diante do computador, e ele era... grande. Sentado numa cadeira giratória que gemia sob seu peso quando ele se mexia, a carne nas laterais do seu corpo transbordava por sobre os descansos da cadeira. Francis nunca vira um garoto tão gordo.

Roland parecia não ter notado que alguém entrara no quarto, e continuou a digitar freneticamente no teclado.

– Oi – disse Francis.

Os dedos de Roland não pararam. O homem com a serra elétrica decepava a cabeça dos zumbis, mas outros quatro emergiam de um cemitério em ruínas, e Roland continuou ali parado, jogando seu videogame. Francis sentiu uma ponta de irritação. Tinha coisas melhores para fazer com o seu tempo do que ficar parado num quarto escuro sendo ignorado por alguém que ele nem mesmo queria conhecer.

– Certo – disse ele. – Vou presumir que você *não* quer me ver, o que não tem problema algum. Mas, da próxima vez, poderia pensar em *avisar* antes de me fazer desperdiçar metade da minha manhã pedalando até aqui?

Francis lhe deu as costas, passou pela porta e pelo corredor até chegar ao saguão de entrada. Achou que seria melhor se despedir da Sra. Boyle, mas não havia sinal algum dela e, sinceramente, ele não se importava. Foi embora para casa, sem nem se dar ao trabalho de fechar a porta às suas costas.

Jessica apareceu na entrada da garagem.

– Essa casa é fantástica! Sabia que eles têm uma piscina coberta nos fundos? E o jardim é... – Ela então parou. – Qual é o problema?

– Ele não quis falar comigo – disse Francis. – Só ficou ali sentado, jogando no computador. Me ignorou completamente. – Pegou a bicicleta e começou a levá-la na direção da rua. – Eu sabia que isso seria uma perda de tempo.

– Espere um minuto – disse Jessica. Ela apontava para a porta da frente, onde Roland aparecera, arfando levemente, com os olhos piscando diante da luz do sol, à qual não estava acostumado.

– Me desculpa... – pediu. – Você tem razão. Fui bem mal-educado contigo e... – Ele parou para recuperar o fôlego. – Veja... hum... quer entrar para jogarmos um jogo ou algo assim?

– Não, obrigado – disse Francis. – Já foi o bastante por um dia.

Continuou descendo o caminho da garagem.

– Que tal amanhã? – gritou Roland, mas Francis não respondeu.

– Sua amiga pode vir também, se quiser.

O pé de Francis congelou entre um passo e outro.

– Minha amiga?

Roland apontou para Jessica. – Vocês dois serão mais que bem-vindos. E lamento mesmo, de verdade.

Fez-se uma longa pausa.

– Está me convidando também? – perguntou Jessica.

– Claro. – Roland confirmou com a cabeça. – Se você quiser, é claro.

– Ok... – Francis soltou um longo suspiro. – Acho que é melhor nós todos entrarmos e termos uma conversa.

16

Roland não recebeu a notícia de que Jessica era um fantasma com a mesma calma de Andi. Quando voltaram ao seu quarto e Jessica fez sua demonstração de atravessar os móveis, Roland desmaiou. Havia bastante Roland para desmaiar, e o barulho que ele provocou ao desabar foi suficiente para fazer a Sra. Boyle atravessar o corredor às pressas para perguntar, um tanto nervosa, se estava tudo bem.

– Sim, está tudo bem – gritou Francis do outro lado da porta. – Roland tropeçou, mas não se machucou.

Ajoelhou-se ao lado da massa trêmula no chão, que, ao menos, abrira os olhos. – Não se machucou, certo?

– Não… Tô bem, mãe – grunhiu Roland. Seus olhos estavam arregalados enquanto encarava Jessica, que, durante o episódio, ficou quietinha do outro lado do quarto. No entanto, depois que ele absorveu o fato de que, a não ser por estar morta, ela era uma garota perfeitamente normal, o medo se transformou em interesse.

Roland se sentou na cadeira, ouvindo atentamente enquanto Francis e Jessica lhe contavam a história de como ela havia acordado no hospital e vagado sozinha por mais de um ano até descobrir, algumas semanas atrás, que, primeiro Francis e depois Andi, eram capazes de vê-la e de conversar com ela.

Quando a história finalmente acabou, até o ponto em que Francis chegava de bicicleta à avenida Paterson, Roland se refestelou na cadeira com as mãos cruzadas sobre a barriga – os dedos mal se tocavam – e refletiu:
– É um problema interessante, não é mesmo?

– Problema? – questionou Francis. Nunca pensara em Jessica como um problema.

– Sinto muito, não quis ser grosseiro. – Roland sorriu para Jessica, se desculpando. – Mas não deveria estar aqui, certo?

– Não deveria?

– Lugar de morto não é perambulando por aí – disse Roland, com firmeza. – Quando morremos, devemos seguir em frente. Era isso que você esperava fazer, não era? No hospital? Quando você disse que tinha a sensação de que alguém deveria aparecer e te dizer o que fazer em seguida... isso aconteceu?

Jessica fez que não com a cabeça.

– E é por isso que você volta lá toda noite – Roland prosseguiu –, porque espera que te digam como ir em frente, mas não consegue. Está presa aqui. É isso que são os fantasmas, claro. Espíritos que deveriam seguir em frente, mas não conseguem.

– Como sabe tudo isso? – perguntou Francis.

– Bem, eu não *sei* de verdade – admitiu Roland. – Estou apenas repetindo o que li. Mas está tudo nos livros. – E gesticulou para as prateleiras às suas costas.

Viu-se então que a maioria dos livros de Roland era sobre fantasmas – vampiros, vodu, magia negra, possessão ou mortos-vivos. Ele havia lido bastante sobre o assunto, e Francis estava prestes a lhe perguntar o que mais ele sabia, quando a Sra. Boyle bateu na porta e perguntou se alguém queria almoçar.

A mãe de Roland não poupou esforços para preparar uma refeição que os dois meninos pudessem apreciar. A mesa da cozinha – que era maior até que alguns dos cômodos da casa de Francis – estava abarrotada de pratos: salsichas, pão de alho, fatias de pizza, frango frito, pedaços de empadão, queijos e frios. O suficiente, como Jessica comentou, para fazer até mesmo um fantasma desejar ter um corpo.

Ver a quantidade que Roland botou para dentro explicava, de certa forma, o seu tamanho, contudo, se isso preocupava a Sra. Boyle, ela não deu qualquer sinal. Então, quando Francis sentiu que não poderia mesmo comer mais nada, ela tirou a mesa e trouxe duas grandes tortas de frutas, uma tigela de gelatina e dois potes de sorvete de chocolate.

– Não sei se você pode ficar, Francis – disse ela, colocando as tigelas e colheres sobre a mesa –, mas liguei o aquecimento da piscina, caso um de vocês queira dar um mergulho hoje à tarde.

A piscina coberta era tão grande quanto tudo o que existia na casa de Roland. Havia um teto de vidro, um trampolim e degraus que adentravam na água do lado oposto. Através de uma porta junto à parte rasa chegava-se a um vestiário com prateleiras cheias de toalhas e roupas de banho, e a água era tão quente que Francis podia ver o vapor que pairava na superfície.

Ele e Roland foram se deitar nas espreguiçadeiras – sabiam que não era bom entrar na piscina após uma refeição pesada – e assistiram ao espetáculo que era Jessica nadando. Ela se movia pela água com a mesma facilidade que atravessava paredes e portas, e podia fazer sua roupa mudar de cor enquanto nadava. À medida que a observavam, veio à mente de Francis a ideia de que Roland talvez pudesse responder à pergunta que Jessica fizera no dia em que se conheceram.

– Às vezes, a gente fica se perguntando – começou – por que Andi e eu somos os únicos que podemos ver a Jessica. Andi achou que talvez fosse por sermos médiuns, mas não temos certeza.

– Vocês até podem ser – admitiu Roland –, mas não acho que seja o caso.

– Não?

– Em todos os livros que li, os médiuns normalmente dão sinais de seus poderes quando ainda são muito jovens, e vocês disseram que nada do gênero jamais ocorrera a nenhum dos dois. – Roland fez uma pausa antes de acrescentar. – E certamente isso nunca aconteceu comigo.

– Então... o que você acha que pode ser?

– A única coisa que consigo pensar é que devemos ajudá-la de alguma forma – disse Roland. – Como eu acabei de falar, ela não deveria estar aqui, então talvez seja nossa missão ajudá-la a chegar aonde quer que *deva* estar.

– Hum – disse Francis. – Como vamos fazer isso?

– Não tenho ideia. – Roland se mexeu na espreguiçadeira, que rangeu alarmantemente. – Tem uma mulher na Austrália com quem converso na internet sobre essas coisas... – Ele deu uma olhada no relógio. – A essa hora ela ainda está dormindo, mas normalmente aparece online por volta das duas ou três da manhã. Eu gostaria de perguntar a ela o que pensa a respeito. Tem algum problema?

– Acho que não – disse Francis. – Embora, para ser sincero, eu não quero que Jessica vá a lugar algum.

– Não quer?

– Não – respondeu Francis. – Gosto de tê-la por perto.

Na piscina, Jessica dava saltos igual a um golfinho para fora e para dentro d'água, ao mesmo tempo que fazia seu biquíni brilhar com cada uma das cores do arco-íris. Francis e Roland a observaram por um momento.

– É. – Roland concordou com a cabeça. – Dá para entender por quê.

Meia hora depois, os dois entraram na piscina, e o novo amigo de Francis se mostrou um exímio nadador. Podia ser lento e desajeitado em terra, mas na água se movia com a confiança casual de uma morsa. Por mais de uma hora eles brincaram, jogando bola, mergulhando, submergindo – até que então a Sra. Boyle apareceu empurrando um carrinho de chá com pão doce fresquinho, brioches com manteiga e um enorme bolo de chocolate – para o caso de eles estarem com fome depois de todo aquele exercício.

– Parece que você não teve dificuldade alguma em fazê-lo falar – disse ela a Francis, enquanto ele saía da água.

– Não, na verdade, não.

– Queria saber qual é o seu segredo! – E a Sra. Boyle pegou um guardanapo e começou a retorcê-lo. – Ele já falou alguma coisa sobre a escola?

– Ah... – Francis já havia esquecido que aquele era o motivo pelo qual fora, em primeiro lugar, convidado. – Não. Ainda não. Pensei em não mencionar a escola até nos conhecermos melhor.

A Sra. Boyle concordou com a cabeça, profundamente impressionada. Aquele era, sem dúvida, o tipo de raciocínio sofisticado que o levara ao sucesso com a filha de Frieda Campion.

– Então irá vê-lo novamente?

– Ah, sim. – Francis confirmou com a cabeça. – Ele vai à minha casa amanhã, se a senhora deixar. Tenho uma amiga que gostaria de apresentar a ele.

Mais uma amizade! O guardanapo nos dedos da Sra. Boyle estava tão retesado quanto um cabo de reboque. Como ele conseguira? Roland se recusava a falar com qualquer pessoa havia mais de duas semanas e mal saía do quarto para se alimentar. E ainda assim Francis entrara sem hesitar na sua casa, fizera com que ele falasse, fizera com que fosse à piscina e agora havia programado para que o filho conhecesse alguém no dia seguinte!

Frieda Campion tinha razão, pensou ela. Francis Meredith era claramente um rapazinho extraordinário.

17

Às dez horas da manhã seguinte, quando a Sra. Meredith atendeu à porta, ela encontrou Roland no degrau, encostado no batente, respirando fundo e com suor pingando do rosto. Passaram-se alguns segundos até que ele conseguisse falar.

– Meu nome é Roland… – disse ele, depois de finalmente recuperar o fôlego. – Vim ver… o… Francis…

A Sra. Meredith o levou para dentro e fez com que se sentasse ao pé da escada. Depois de gritar por Francis, foi à cozinha buscar um copo d'água. Ao voltar, ficou aliviada ao ver que a cor de Roland estava um pouco mais próxima do normal, e pediu que Francis levasse a bicicleta do menino até os fundos antes de voltar ao trabalho.

– O carro da minha mãe foi para a oficina hoje – explicou Roland quando Francis voltou. – Por isso tive que vir de bicicleta. – Ele se levantou para tirar a mochila das costas. – Jessica está aqui?

– Está lá em cima com a Andi – contou. – Estávamos à sua espera.

– Lá em cima? – Roland espichou o olhar pelo longo lance de escada que partia da antessala e empalideceu levemente.

– Meu quarto fica no sótão – explicou um Francis todo entusiasmado. – Eu posso pedir para elas descerem, se você preferir.

– Não, não. – O olhar de Roland ainda estava fixo no andar de cima. – Pode ser lá mesmo. É melhor conversarmos onde ninguém possa nos ouvir.

Francis esticou o braço para pegar a mochila. – Deixa que eu levo pra você.

– Obrigado. – Com olhar determinado, Roland começou a subir.

Chegou ao andar de cima depois de apenas uma ou duas paradas rápidas no caminho, e Francis o conduziu para dentro do quarto no sótão, onde Jessica lhe abriu um sorriso de boas-vindas.

– E esta é a Andi – apresentou Francis.

– Olá – disse Andi. – Conseguiu descobrir?

– Como é? – Roland piscou para ela, nervoso.

– Francis me disse que você ia conversar com alguém e tentar descobrir por que Jessica está presa em forma de fantasma – explicou. – Falou com ela?

– Ah... sim! – Roland ainda ofegava. – Bem, possivelmente. Vocês se importam se eu me sentar? – E, sem esperar pela resposta, o garoto afundou graciosamente no sofá.

Francis colocou a mochila ao lado dele, no chão.

– E o que ela disse? A sua amiga.

– Bom, várias coisas, na verdade… – Roland se ajeitou para ficar mais confortável. – Ela começou dizendo o que falei para vocês ontem. Que todos os fantasmas são espíritos que, por algum motivo, ficaram presos por aqui. Deveriam seguir em frente, mas não conseguem.

– Ela falou por quê? – Jessica flutuou para se sentar no ar, diante dele.

– Mais ou menos – respondeu Roland. – Ela falou que, quando as pessoas morrem, a primeira coisa que têm a fazer é olhar para todas as coisas que fizeram em vida: as coisas que fizeram de errado, as coisas que fizeram de certo… tudo.

Jessica franziu as sobrancelhas. – Não lembro de ter feito isso.

– Não… – disse Roland. – E é essa a verdadeira questão. Veja, ao olhar para sua vida, você tem que aceitá-la. Tem que aceitar o que quer que tenha acontecido, antes de poder seguir em frente. E o que acontece com algumas pessoas é que existe algo que elas não aceitam.

– Por que não? – perguntou Francis.

– Minha amiga disse que normalmente é porque algo terrível foi feito a elas… Algo tão horripilante que elas não querem nem ver, nem pensar a respeito…

– Ou?

– Ou então algo terrível que elas próprias fizeram.

Ninguém olhou diretamente para Jessica, mas dava para ver o que estavam pensando. O que ela poderia ter feito, ou o que tinham feito a ela, que fosse tão terrível que ela nem conseguia pensar no ocorrido?

Já a própria Jessica parecia mais intrigada que preocupada.

– Não me lembro de ter feito nada de tão terrível. Ou de alguém fazendo algo do tipo comigo.

– Certo – disse Roland –, mas... você não lembra de tudo, não é mesmo?

Fez-se uma longa pausa.

– Está falando de como eu morri? – perguntou Jessica.

Roland confirmou com a cabeça.

– Na última vez que tentamos descobrir como Jessica morreu – contou Andi –, ela desapareceu.

– Isso foi porque ela não queria realmente saber – explicou Roland. – Minha amiga disse que, se ela estivesse determinada, realmente determinada, a querer lembrar, ela conseguiria.

– Não conseguiria, não! – exclamou Jessica, zangada. – Não posso escolher o que lembrar! Ou você se lembra de algo ou não se lembra. E eu não me lembro. Não me lembro de como morri, sinto muito!

– Eu até posso te contar – disse Roland. – Se você quiser.

Fez-se outra longa pausa.

– Você *sabe*? – perguntou Francis. – Sabe como ela morreu?

– Quando eu estava na internet ontem à noite... – Roland pegou a mochila e a colocou no colo – resolvi digitar o nome da Jessica em alguns sites de busca e ver o que aparecia. – Ele sacou um notebook de aparência cara. – Encontrei dois artigos de jornal sobre ela, e bastante coisa numa página feita pela sua tia. – Ele olhou para Jessica. – Se quiser, eu posso te mostrar. Mas só se quiser, obviamente.

Fez-se um silêncio enquanto todos esperavam Jessica responder se queria ou não ver as páginas no computador de Roland. Mas ela não respondeu. Não disse coisa alguma.

Depois do que pareceu ser um longo tempo, ela se levantou.

– Preciso pensar – disse. – Não vou sumir ou algo assim, mas preciso pensar sobre isso sozinha.

E então desapareceu.

Roland se voltou para Francis. – Sinto muito se isso tudo foi muito repentino – disse ele –, mas minha amiga falou que eu precisava fazer. Ela disse que, em algum momento, Jessica precisa lembrar, senão será um fantasma para sempre.

Roland se reclinou e passou o olhar pelo quarto, absorvendo, pela primeira vez, os esboços na parede, as pilhas de tecido e as fileiras de bonecas.

– E todos esses desenhos de vestidos e bonecas? – perguntou.

– São meus – respondeu Francis. – É um hobby.

– Você faz vestidos? Por hobby?

– Vê algum problema nisso? – E o olhar de Andi ao falar era implacável.

– Não, não – Roland se apressou em responder. – Só pensei...

Ele se inclinou na direção de Francis. – Não provocam você na escola por causa disso?

18

Quando Jessica reapareceu, vinte minutos depois, estava vestida com uma camisola de hospital. Desde que Francis a conhecera, aquela era a segunda vez que sua amiga aparecia usando a camisola, e em ambas as ocasiões isso acontecera porque a mente dela estava voltada para uma outra coisa. A camisola do hospital, sabia Francis, era como a configuração padrão de um computador. Era o que vestia quando sua mente estava ocupada demais para se "imaginar" em roupas comuns.

– Tudo bem – disse ela. – Já decidi.

Roland olhou para Jessica com atenção. – E...?

– E eu quero saber.

– Tem certeza? – perguntou Francis.

– Absoluta. – Jessica parecia bastante determinada. – Se Roland estiver certo, uma hora terei que saber, não é mesmo?

– Não precisa ser agora...

– Mas pode muito bem ser.

Jessica se virou para encarar Roland e respirou fundo.

– Tudo bem. Pode me dizer. Como eu morri?

– Você se matou – disse Roland. – Cometeu suicídio.

Ninguém disse nada. Ninguém se mexeu. O silêncio no quarto era tão denso que mal dava para respirar. Por um momento, o corpo espectral de Jessica bruxuleou e se ofuscou, até tremular de volta ao normal.

– É verdade? – perguntou Francis, em voz baixa. – Foi isso o que aconteceu?

– Hein? – Jessica se voltou para ele. – Ah... sim... Sim, foi isso.

– E você lembra?

Jessica fez que sim com a cabeça. Ela se lembrava de tudo agora. Todos os dias de preparação e planejamento, as semanas que levara até juntar comprimidos o suficiente, depois a espera por um momento em que tanto a tia quanto o tio estivessem fora, a caminhada bosque adentro saindo pelos fundos da casa...

– Por quê? – Foi Andi quem colocou a questão. – Por que iria querer se matar?

Jessica não respondeu. Olhava para o infinito, absorta em seus pensamentos.

– Foi por causa da sua tia ou do seu tio? – perguntou Francis. – Eles estavam... fazendo alguma coisa com você?

– Não, não, não foi nada disso – respondeu. – Eles são do bem. Todo mundo sempre foi... bastante legal.

Ela se lembrou de como todos foram gentis no dia em que sua mãe desabou e morreu na cozinha por causa de um tumor no cérebro. Sua avó foi particularmente gentil. Acolheu Jessica e tomou conta dela, até que morreu um ano depois e todos foram legais novamente.

Tia Jo e Tio George foram legais o bastante para dizer que ela podia morar com eles, e foram buscá-la e fizeram suas malas e foram tão bondosos quanto poderiam... Mas, àquela altura, é claro, ela já estava no Fundo do Poço, e quando a gente está no Fundo do Poço, a gentileza das pessoas não significa coisa alguma. Nada mais significava.

– É curioso, não? – disse Roland. – Como a gentileza das pessoas não ajuda quando você se sente desse jeito. Você sabe que elas *querem* ajudar, sabe que estão *tentando* ajudar, mas é como se estivessem em outro mundo. Não têm a menor ideia de como você está se sentindo. Ou o que podem fazer em relação a isso.

Sim, pensou Jessica. Sim, foi bem assim que as coisas aconteceram.

– E você até pode tentar fingir que está tudo bem – Roland ainda continuou falando. – Até pode agir como se achasse que existe alguma importância em ter feito o dever de casa ou no que come ou no que veste, mas, no fim... o fingimento é um grande esforço, e você fica tão cansado que tudo o que quer é que aquilo acabe. Que tudo acabe.

Suas palavras despertaram outra lembrança em Jessica. Foi o momento exato, voltando da escola numa sexta-feira, em que lhe veio à cabeça que havia um jeito de fazer tudo acabar. Um jeito muito simples de terminar com toda a dor, com o fingimento e com o Fundo do Poço. Uma vez na sua mente, a ideia passou a lhe causar um estranho fascínio. Tentou afastá-la, o que pareceu apenas contribuir para fortalecê-la mais ainda. Era uma ideia tão acolhedora e reconfortante, um grande consolo quando se sentia mal...

– E, depois que a ideia entra na sua cabeça – disse Roland –, ela não vai mais embora. Você se pega voltando a ela a todo momento.

Jessica olhou para ele. – Foi a sua amiga que te disse tudo isso?

Roland balançou a cabeça. – Não preciso que ninguém me conte essas coisas – respondeu.

Jessica não levou mais que um instante para entender o que ele quis dizer.

– Você? – Ela o fitou. – Sério?

Roland bufou de leve. – Tem ideia de como é se sentir assim? – E gesticulou em direção à massa bojuda do seu corpo. – Ver como todos olham pra você aonde quer que vá, encarando, rindo, chamando-o por apelidos quando *acham* que você não está ouvindo, chamando-o por apelidos quando *sabem* que você está ouvindo...

Havia uma amargura na voz à medida que falava.

– Você olha ao redor, e todos parecem conseguir se levantar pela manhã e sorrir, dar gargalhadas e se divertir... e então você pensa, por que eu não? Por que eu não posso ser uma pessoa *comum*? Por que eu tenho que ser diferente de todo mundo?

– E é isso que pega você no final, não é mesmo? – Agora era Francis quem estava falando. – O fato de ser diferente. Você deseja, de todas as formas, ser como todos os outros, mas... – ele olhava com compaixão para Roland enquanto falava – ... sabe que isso nunca vai acontecer.

Você *sempre* vai ser diferente. Com você é o peso, comigo era tudo aquilo ali. – E apontou para os desenhos na parede e as bonecas nas estantes, e então se voltou para Jessica com um sorriso estranho e distorcido. – Lembra daquele primeiro dia, quando você apareceu e se sentou no banco? Fui até ali justamente para pensar nisso. Não sei se realmente teria feito algo, mas... era nisso que eu estava pensando.

– Então... – começou Roland – isso significa que nós três somos...

– Quatro.

A voz era de Andi, e ela falava com o olhar fixo no chão à sua frente, os dedos puxando agressivamente tufos do tapete. – Se estão falando sobre ser diferente, tentem ser atarracados e feios quando todos os outros são altos e bonitos. Tentem dar uma surra em quem ousar rir de vocês... para então perceber que não sobrou mais ninguém com quem conversar.

Ela ergueu a cabeça e olhou de maneira desafiadora para os rostos que a cercavam. – Eu estava pronta para dar esse passo, até minha mãe me levar para visitar o Francis naquele dia. E eu teria ido adiante. Sei que teria, pois as coisas andavam tão ruins que... – O olhar se voltou para o tapete. – ... Que aquela parecia a única saída.

Por quase um minuto, mais ninguém falou, até que Francis finalmente quebrou o silêncio.

– Você não achou que nós três estávamos aqui para ajudar a Jessica? – disse ele, olhando para Roland. – Pois me parece mais é que é ela que está aqui para nos ajudar.

19

Nem Francis, nem Roland ou Andi haviam contado a alguém que andavam pensando em "dar um fim a tudo", e descobrir que podiam compartilhar esses pensamentos e conversar sobre eles com outras pessoas que já se sentiram da mesma forma era curiosamente libertador. Podia parecer estranho, mas passaram o resto da manhã falando – e às vezes até mesmo rindo – sobre como a ideia lhes viera à mente, os modos em que pensaram executá-la, e imaginando se algum deles realmente teria ido até o fim.

Os três examinaram os artigos de jornal que Roland havia baixado sobre o suicídio de Jessica – por mais que neles não tivesse muito do que rir. O primeiro era a descrição de como o corpo de Jessica fora encontrado por uma mulher que passeava com o cachorro – e que a levara para o hospital –, e o outro continha informações sobre o velório que, para surpresa de Jessica, contara com a forte presença de centenas de pessoas da sua cidadezinha e de praticamente toda a sua escola. Ler sobre aquilo, como ela descobriu, era levemente constrangedor.

Jessica nunca havia imaginado que cometer suicídio surtiria tamanho efeito na vida das pessoas ao seu redor. O que pensou, se é que chegou a pensar, foi que a sua ausência provavelmente tornaria as coisas mais fáceis para elas. Nada poderia estar mais longe da verdade, como deixava claro uma simples olhada na página que sua tia criara na internet.

Na home havia uma grande fotografia de Jessica – a mesma que estava pendurada no saguão da casa na rua Bannock – com um texto logo abaixo escrito pela Tia Jo, explicando como, depois do que acontecera à sobrinha, ela deixara o emprego e agora se dedicava a tentar prevenir que algo do gênero acontecesse a outros adolescentes. Tia Jo estudou para ser conselheira, montou a página na internet e, caso alguém quisesse entrar em contato, poderia escrever um e-mail para ela ou telefonar para o número que se via no alto.

Havia páginas interessantes no site descrevendo os sentimentos que Jessica tinha chamado, em privado, de "Sobre Estar no Fundo do Poço" – a sensação de que nada tinha ou viria a ter significado algum, de ser diferente, de se sentir completamente só.

Havia muitas outras páginas falando sobre o que motivava as pessoas a se sentirem assim e o que poderiam fazer, com textos médicos sobre as causas e os remédios que, às vezes, ajudam o paciente a se sentir melhor, além de descrições de psicólogos sobre técnicas que algumas pessoas acharam úteis, números de telefone, livros, sites e – o que talvez fosse a coisa mais interessante de todas

– páginas com cartas de adolescentes descrevendo como eles se sentiam e o que fizeram para sair do Fundo do Poço. Ou para evitar que lá caíssem novamente.

Foi uma dessas cartas que descreveu algo que Jessica lembrou e que os outros também reconheceram imediatamente. Falava sobre a velocidade extraordinária com a qual a sensação de que "a vida já não tinha significado" podia desaparecer em certas ocasiões e tudo se tornava "normal" outra vez – pelo menos por um tempo. Como, num dia, você podia estar nas profundezas do desespero, e no dia seguinte acordava se sentindo... normal. Como coisas pequenas, por exemplo, algo que alguém falou, uma cena de um filme ou até mesmo uma canção podiam mudar o humor num piscar de olhos. E como, quando você estava com determinado humor, o outro parecia tão tolo. Quando o sol brilhava, você mal lembrava as nuvens, mas, quando estava no Fundo, era difícil acreditar que o brilho do sol um dia existira.

– Como eu na manhã de ontem – disse Roland. – Eu estava me sentindo muito mal antes de vocês dois aparecerem. – Ele apontou com a cabeça para Francis e Jessica. – Mas, então, quando comecei a falar com vocês... de repente tudo mudou. Não sei por quê... simplesmente aconteceu.

– Acho que é o choque de ver Jessica como um fantasma que provoca isso – disse Andi. – Meio que arranca você de si mesmo. Lembro quando Francis me levou até o quarto dele e Jessica caminhou pelo meio da cama...

Foi *tããão* interessante. Muito mais interessante do que sentir raiva ou tristeza.

Roland não achava que o choque provocado pelo fantasma de Jessica havia motivado sua própria mudança de humor. Achava que Jessica havia feito isso simplesmente... sendo Jessica. Ele nunca tivera um real interesse pelo fato de ela ser um fantasma. Fora a amizade de Jessica que fizera a diferença.

Qualquer que fosse o motivo, porém, a única coisa com que todos concordavam era que tudo *havia* mudado desde que Jessica aparecera. Nenhum deles entrara mais no Poço depois de conhecê-la. O que tornava particularmente convincente a ideia de Francis – de que o motivo pelo qual todos eles podiam ver Jessica era que ela os impedia de fazer o que ela mesma fizera.

Entretanto, a própria Jessica se mostrava menos segura.

– Se for verdade – disse ela – que vim para evitar que vocês cometam o mesmo erro que eu, e já consegui isso... Por que *ainda* estou aqui?

Todos olharam para Roland. Era ele quem lia livros e parecia ter todas as respostas.

– Acredito – começou ele – que a resposta óbvia é: existe mais alguém.

– Mais alguém? – Jessica franziu as sobrancelhas.

– Bem, você foi fantasma por quase um ano antes de conhecer o Francis – disse Roland. – Depois, outro mês se passou antes de conhecer a Andi. Até me conhecer ontem. Por que deveria parar em nós três? Talvez exista mais alguém que você deva ajudar.

Ainda estavam debatendo sobre essa possibilidade quando Francis deu uma olhada no seu relógio de pulso, viu que já era hora do almoço, e disse que se alguém estivesse com fome provavelmente encontraria pão e queijo na cozinha.

– Ah, sim... – Roland deu uma tossidinha. – Eu já ia falar sobre isso. Minha mãe me disse para convidar todos vocês para almoçar na minha casa. Se vocês quiserem. – E enrubesceu levemente. – Mas está tudo bem. Não precisam ir se...

– Francis me contou sobre a comida da sua mãe – interrompeu Andi. – E você também tem uma piscina, né? Podemos dar um mergulho depois?

– Claro.

– Bom, então é isso. – Andi se levantou. – Vamos lá, rapaziada! Vamos nessa!

Francis ficou olhando enquanto Andi e Roland partiam na direção da escada.

Então é isso, pensou ele. Você passa a manhã falando sobre suicídio com duas outras pessoas que vinham pensando no mesmo e com o fantasma de alguém que já fez isso... e depois sai para almoçar e cair na piscina.

Francis deu uma olhadela para Jessica, que se imaginava de casaco.

– Que manhã curiosa – disse ele.

– É.

– Você está bem?

– Acho que sim. – Jessica flutuou para se juntar a ele. – Naquele primeiro dia, quando me aproximei e sentei do seu lado no banco... você falou que estava pensando naquilo.

– Sim.

– Nunca contou nada.

– Não.

– Pra ninguém?

– Não.

– Nem eu – disse Jessica. – E, pensando agora, isso, com certeza absoluta, foi um erro.

20

O almoço na casa de Roland foi um acontecimento de fato animado. A Sra. Boyle tinha assado três frangos, junto a uma montanha de batatas e verduras gratinadas, salsichas, bacon, molhos variados e uma cesta de pãezinhos recém-saídos do forno, caso alguém ainda tivesse algum buraquinho no dente para tapar.

O pai de Roland trinchou as galinhas. Era um homem bronco, de aparência dura, não muito maior que a mulher, e, para Francis, era impossível não pensar como duas pessoas tão atarracadas poderiam ter produzido um filho que era maior que os dois juntos.

Quando Jessica fez com que Andi perguntasse ao Sr. Boyle com o que trabalhava, descobriram que ele começou como operador de guindaste, antes de pedir dinheiro emprestado para comprar seu próprio guindaste e, então, finalmente montar a própria empresa.

– Ele viaja pelo país inteiro – contou a Sra. Boyle, orgulhosa. – Se quiser içar alguma coisa bem pesada, meu Ronnie é o homem certo para o trabalho!

Descobriu-se que andara envolvido recentemente em içar vagões que haviam caído num aterro íngreme depois que um trem de passageiros descarrilou. E, enquanto a Sra. Boyle retirava os pratos antes de trazer os doces – duas tortas de maçã, uma tigela grande de mousse de chocolate, uma salada de frutas e uma jarra de creme de leite fresco –, o Sr. Boyle se valeu de alguns talheres e barbante para fazer uma demonstração dos problemas envolvidos em içar algo que pesava cinquenta toneladas sem que se soltasse das amarras e matasse as pessoas lá embaixo.

Encerrado o almoço, Francis e Andi se ofereceram para ajudar com os pratos, mas a Sra. Boyle nem lhes deu ouvidos.

– Pode deixar, Ronnie e eu cuidamos de tudo – disse ela, enxotando-os na direção da porta. – Vocês podem assistir a um dos filmes de Rollo ou jogar no computador. Poupem a energia de vocês para dar um mergulho mais tarde.

Roland tinha uma coleção impressionante de filmes e jogos, mas Andi preferiu dar uma olhada no quarto – com as latas de refrigerante emporcalhando o chão, os pratos com restos de comida, afora a sujeira e a poeira – e disse que não faria coisa alguma antes de encontrar um lugar onde pudesse se sentar sem correr o risco de pegar uma infecção séria.

Metida a chefona, ela foi logo despachando Roland para buscar um aspirador, espanadores e produtos de limpeza. Jessica recebeu ordens de flutuar para um canto do quarto e ficar fora do caminho, e Francis foi enviado de volta à cozinha com uma pilha de pratos sujos, sob a incumbência de trazer na volta alguns sacos de lixo.

A Sra. Boyle perguntou para que ele queria os sacos de lixo.

– Roland está arrumando um pouco o quarto – explicou Francis – e precisa de algo para colocar o lixo.

– Arrumando o quarto? – A Sra. Boyle encarou o menino. – Tem certeza?

– Foi ideia da Andi – admitiu Francis. – Ela meio que disse que ele tinha que limpar.

– E ele *está* arrumando?

O Sr. Boyle parecia igualmente abismado.

– Andi pode ser bem, digamos, contundente quando coloca algo na cabeça – avisou Francis. – Acho que ela não deu muita escolha a Roland.

A Sra. Boyle havia retirado o rolo de sacos de lixo da gaveta, mas não o entregou a Francis. – Se não se importa, eu mesma vou levar isso – disse, partindo em direção à porta. – Talvez ela consiga convencê-lo a trocar a roupa de cama e...

– Pode deixar que eu cuido disso – falou o Sr. Boyle, gesticulando para a pilha de pratos que Francis carregava. Ele pegou os pratos, raspou os restos de comida para dentro da lixeira e começou a colocá-los na lava-louças. – Ela não consegue entrar no quarto dele há semanas, sabia? Roland não a deixa entrar. Não deixa *ninguém* entrar. Não me importo em contar isso para você, estávamos ficando preocupados. Sabíamos que ele andava infeliz com alguma coisa... mas não sabíamos com o quê, e ele não nos contava. Roland não queria ver ninguém, não queria sair...

O Sr. Boyle se virou para encarar Francis. – Até você aparecer e... bingo... Todas as luzes se acenderam novamente e ele está perguntando se pode convidar os amigos para almoçar! Não sei o que você fez com ele, mas... O que você *fez* com ele?

– Nada, na verdade – disse Francis. – Nós apenas... conversamos, sabe?

– Conversar... – O Sr. Boyle soltou um longo suspiro. – Tentamos isso. O problema é que jamais conseguimos fazer com que ele respondesse. Mas Angela disse que você o fez abrir o bico quase imediatamente depois de passar pela porta. Ela não sabe como você conseguiu isso, porém... – Fez uma pausa, franzindo as sobrancelhas de preocupação ao olhar atentamente para Francis. – Você está bem? Parece um pouco cansado.

Só agora, depois que isso foi mencionado, Francis percebeu que *estava* cansado. Muito cansado. Olhando para trás, aquela tinha sido uma manhã intensa.

– Por que não se deita um pouco? – sugeriu o Sr. Boyle. – Deixe a arrumação para os outros e vá descansar. Use uma das espreguiçadeiras na piscina.

– Sim – respondeu Francis. – Acho que vou fazer isso.

Francis foi até a piscina, esticou-se numa das espreguiçadeiras e caiu no sono quase instantaneamente.

Quando acordou, encontrou Jessica deitada na espreguiçadeira ao lado, apoiada num cotovelo, olhando para ele.

– Você estava babando – disse ela.

– Obrigado. – Francis levantou o corpo até ficar sentado e percebeu que alguém o cobrira com uma manta.

– Foi a mãe do Roland – disse Jessica. – Ela vem aqui a cada quinze minutos para ver se você está bem.

– Ah...

– Vem na ponta dos pés para não te acordar. Os outros queriam vir antes para mergulhar, mas ela não deixou. Disse que você precisava descansar.

– Ah...

– Ela e o Sr. Boyle estavam falando de você na cozinha. Acham que você tem poderes mágicos. Sério. Acham que faz milagres. No momento, estão debatendo sobre quanto tempo você vai levar para convencer Roland a voltar para a escola.

– Hum... – Francis ainda não tinha ideia do que faria, se é que faria algo, para resolver a situação.

– Não se preocupe! – Jessica sorriu. – Vamos pensar em alguma coisa. Mas, enquanto isso, acho melhor eu dizer a Andi e ao Roland que podem vir dar um mergulho!

E desapareceu.

Mais tarde – muito mais tarde –, depois de um mergulho, um bule enorme de chá, outro mergulho e um filme que Roland colocou sobre um homem acorrentado pela perna a um aquecedor, que tinha que escolher entre morrer de fome ou cortar o próprio pé para se libertar, os pais de

Roland chamaram Francis num canto quando ele se preparava para ir embora e perguntaram se ele tivera a oportunidade de conversar com Roland sobre a escola.

– Não... – disse Francis. – Ainda não.

– Frieda Campion falou que você gosta de esperar pelo momento certo – disse a Sra. Boyle. – Falou que, com a filha dela, você esperou até Andi se sentir à vontade antes de... fazer o que quer que você faça.

– Bom, não foi bem assim que...

– Infelizmente – interrompeu o Sr. Boyle –, nós não temos muito tempo. Sabe, Roland já não vai à escola há um mês, e eles estão fazendo um alvoroço por causa disso. Ameaçando chamar o Serviço Social, tomar medidas legais, esse tipo de coisa.

– Então, se pudesse conversar logo com ele... – pediu a Sra. Boyle.

– Farei isso – disse Francis –, mas, sinceramente... não sei ao certo se vai funcionar. Não posso obrigá-lo a fazer algo que não quer, posso?

O Sr. Boyle concordou prontamente que isso, de fato, seria impossível, e a Sra. Boyle disse que os dois estavam gratos por ele tentar, mas dava para ver nos olhos deles que duvidavam.

Os pais de Roland estavam convencidos de que, se Francis conseguisse, seria um milagre.

21

Na semana que se seguiu, Roland pedalou até a avenida Alma todos os dias para passar a noite com seus novos amigos – na verdade, normalmente já estava à espera deles na rua quando chegavam da escola – e ficava com eles até as mães de Francis ou Andi dizerem que já era hora de voltar para casa.

Eles estavam sentados no sótão do número 47 – Jessica ajudava Andi a terminar os deveres de Matemática – quando, cautelosamente, Francis perguntou a Roland se ele havia pensado sobre voltar à escola. Quase deu para ver as persianas se fecharem por trás dos olhos de Roland, no momento em que a ideia foi mencionada.

– Eu não vou voltar – afirmou, projetando o queixo com determinação. – Nunca! Não tô nem aí pro que vão dizer. Não vou voltar.

– Mas... você não acha que tem que voltar? – perguntou Francis. – Quero dizer, todo mundo tem que ir à escola, não é mesmo? É a lei.

– Não tô nem aí – repetiu Roland, obstinado. – Não vou. E ninguém pode me obrigar. Eu prefiro morrer.

Sob tais circunstâncias, aquela não era uma ameaça que podia ser ignorada, e Francis deixou o assunto de lado. Dissera que conversaria com Roland sobre a escola, e foi o que fez. Não funcionou – em momento algum achou que funcionaria –, mas cumprira sua promessa e, ainda que quisesse ajudar, não via o que mais poderia fazer.

Foi só mais tarde, naquela mesma noite, depois que Roland acompanhou Andi ao número 39 antes de pedalar de volta para casa, que Jessica sugeriu uma possível solução para o problema.

– Eu estou aqui matutando... – disse ela. – Será que ninguém pensou em ensino domiciliar?

Francis ergueu o olhar do zíper quebrado que estava removendo da saia escolar de Andi para substituí-lo.

– Ensino o quê?

– Ensino domiciliar – repetiu Jessica. – A lei diz que você tem que ser educado em algum lugar, mas, se seus pais quiserem lhe dar aulas em casa, eles podem.

– É mesmo? – Isso era novidade para Francis.

– Tive um amigo que fez isso durante anos – disse Jessica. – Não acho que o pai de Roland teria muito tempo, mas talvez a mãe, sim.

Francis ponderou sobre a ideia. – Interessante. Mas eu me pergunto se Roland aceitaria isso.

Quando conversaram na noite seguinte, Roland aceitou a ideia de imediato. A perspectiva de que talvez houvesse um modo de nunca mais voltar à escola, e que ao mesmo tempo fosse aceitável, parecia boa demais para ser verdade. Uma hora no seu computador, pesquisando várias páginas na internet, rapidamente o convenceu de que aquilo era perfeitamente possível. Se o ensino domiciliar era o que você queria tentar, havia dezenas de lugares aonde ir para que o ajudassem, e, segundo as pessoas que adotaram a ideia, não era assim tão difícil. Em grande parte, a maior questão era que demoraria bem mais para se formar.

– Meu pai trabalha muito, então minha mãe teria que ser a principal responsável – disse ele, fechando a tampa do laptop. – Mas não sei se ela vai querer. Fica muito nervosa com qualquer coisa relacionada a trabalho escolar. Uma vez, quando eu tinha sete anos, ela teve um ataque de pânico enquanto me ajudava com meu dever de casa.

Ele fez uma longa pausa. – Mas eu posso pedir.

– E se Francis pedir? – perguntou Jessica. – Não sei se você percebeu, mas seus pais acham que o Francis pode caminhar sobre a água, se assim decidir. Se ele dissesse que o ensino domiciliar é o caminho a ser tomado, não acho que encontraria muita resistência dos dois.

Francis sugeriu a ideia ao Sr. e à Sra. Boyle no sábado. Ele se sentou com os dois à mesa da cozinha antes do almoço, enquanto Roland levava Andi para um mergulho, e começou dizendo que, depois de conversar com Roland, não achava que seria uma grande ideia tentar fazê-lo voltar ao St. Saviour's.

– Oh, céus... – A Sra. Boyle não conseguiu disfarçar sua decepção. – Tem certeza?

– Acho que se ele voltasse agora... – começou Francis – isso só o deixaria muito infeliz. O que não seria bom, certo?

– Certo – concordou o Sr. Boyle –, mas ele *tem* que voltar, não? É a lei.

– Não necessariamente – disse Francis. E explicou, contando com a assistência de Jessica, que o ensino domiciliar era um direito legal de toda família, como conhecia alguém que tinha feito aquilo e achara muito menos difícil do que esperava, e que havia uma série de lugares aonde ir em busca de ajuda, caso a Sra. Boyle estivesse disposta a enfrentar o desafio.

– Eu? – E os olhos da Sra. Boyle se arregalaram. – Não posso dar aula para Roland! Não me lembro de mais nada!

– Como eu falei, existem várias organizações que podem ajudá-la a montar tudo – Francis a tranquilizou. – Roland está pesquisando sobre elas na internet. Elas lhe dizem o que fazer, quais livros comprar e tudo o mais. Minha amiga disse que leva bastante tempo, mas não é tão difícil quanto se possa imaginar.

– E você acredita então que ter aulas em casa seria a melhor coisa para Rollo? – perguntou o Sr. Boyle.

– Sim – disse Francis. – Sim, acredito.

O Sr. Boyle voltou o olhar para a esposa. – Bem, é com você, querida. É você quem vai ter que fazer a maior parte do trabalho. Mas se Francis diz que é o melhor...

E, como previra Jessica, esse foi o argumento que serviu como gancho. Francis era, afinal de contas, o rapazinho que, em poucos dias, havia mudado a vida do filho deles. Se dizia que o ensino domiciliar era a resposta, então era isso o que tentariam, não importava quão assustadora fosse a perspectiva para a Sra. Boyle.

Uma vez iniciadas, as lições correram melhor do que tanto Roland quanto sua mãe esperavam. Como tutora domiciliar, a Sra. Boyle podia ter a desvantagem de não saber quase nada sobre as matérias que seu filho precisava estudar, mas, no que envolvia a felicidade de Roland, ela podia ser bem determinada. Ao final da semana, já havia preparado um grande gráfico na parede da cozinha, mostrando o plano de aulas para o mês seguinte, além de uma lista, junto ao telefone, de pessoas com quem poderia falar se precisasse de ajuda, e a mesa da cozinha estava coberta de livros sobre as causas da Primeira Guerra Mundial, o vocabulário espanhol e a ecologia da Bacia Amazônica.

Durante as aulas, Roland normalmente se pegava explicando a matéria à mãe, em vez do contrário, mas ele não foi a primeira pessoa a descobrir que essa, na verdade, era uma das melhores formas de aprender. Quando os dois se viam num beco sem saída, não faltavam pessoas para quem podiam telefonar, embora Roland preferisse começar perguntando para Jessica. Ela normalmente aparecia duas ou três vezes por dia, para ver como as coisas estavam andando e, caso ela mesma não soubesse a resposta, podia sempre pedir a Francis ou Andi que perguntasse a um professor da John Felton. Entre eles quatro não havia muitos problemas que não pudessem ser solucionados.

Quando terminava a lição à tarde, Roland montava na bicicleta e voava para a avenida Alma. As pedaladas regulares significavam que ele já conseguia lidar muito melhor com a distância das jornadas e mal precisava parar para recuperar o fôlego antes de abrir a porta da frente e subir a escada para o quarto no sótão da casa de Francis, ou da casa de Andi.

Nos finais de semana, os quatro costumavam se encontrar na casa de Roland. Afinal, na casa dele havia a piscina, isso para não falar da atração que exercia a comida da Sra. Boyle. Nadavam, deitavam nas espreguiçadeiras, conversavam, comiam – e se você os visse mergulhar fazendo um alvoroço na piscina, dificilmente acreditaria que, havia apenas algumas semanas, três deles vinham considerando seriamente qual seria a melhor maneira de darem cabo às próprias vidas, e uma, inclusive, já havia feito isso.

Pareciam adolescentes desfrutando a vida – como de fato estavam –, embora um incidente, três semanas após a grande revelação sobre Jessica, tenha ameaçado transformar aquelas novas vidas em frangalhos.

22

Era uma quarta-feira quando Francis recebeu a mensagem do seu professor, dizendo que a Sra. Parsons queria vê-lo no intervalo. Não ficou muito preocupado. Nas outras ocasiões em que conversara com a diretora, ela havia sido bastante simpática – mas, ao chegar à sua sala desta vez, não havia sorriso em seu rosto quando gesticulou para que Francis se sentasse.

– Recebi uma reclamação – disse ela, olhando diretamente para ele do outro lado da mesa – de Quentin Howard. Ele contou que Andi Campion o atacou do lado de fora do ginásio poliesportivo, cinco semanas atrás, e que isso quase o deixou com tanto medo a ponto de não vir mais para a escola. Ele disse que você estava lá quando tudo aconteceu. É verdade?

Francis não sabia bem como responder. Se Jessica estivesse ali, poderia pedir um conselho, mas Jessica tinha ido a Londres com uma turma de estudantes de moda para ver uma mostra de Vivienne Westwood no Victoria & Albert Museum.

Francis poderia ter mentido, mas decidiu não o fazer. Nunca fora bom em mentir e, além disso, tinha a sensação de que a Sra. Parsons provavelmente chegaria à verdade de um jeito ou de outro.

– Sim, eu estava lá – continuou ele. – Mas não foi bem assim como o Quentin contou.

– Não? – A diretora se reclinou na cadeira. – Então me diga como foi.

E Francis se viu contando a ela o que acontecera – o que Quentin dissera, como Andi o acertara duas vezes, e depois sobre todas as vezes em que Quentin o provocara no passado e quanta diferença ele sentia na sua vida agora que o bullying havia parado.

A Sra. Parsons ouviu tudo em silêncio.

– Entendo – disse ela quando ele terminou. – Acho que talvez devamos ouvir o que Quentin tem a dizer sobre isso.

Ela apertou um botão no interfone em sua mesa e pediu à secretária que mandasse o menino entrar.

Francis notou que ele parecia mais magro. As olheiras eram perceptíveis, estava claramente nervoso e exibia um tique num lado do rosto – mas o que disse foi interessante. Quentin garantiu, diante da pergunta da Sra. Parsons, que todos os comentários sobre bonecas e costura não passavam de piadas. Não tinha ideia, segundo afirmou, de que aquilo poderia aborrecer Francis. Era só para se divertir um pouco, e ele disse isso de maneira tão sincera e com tamanho ar de desespero, que Francis até ficou inclinado a acreditar.

Francis tampouco havia percebido a intensidade com que a tal surra de Andi afetara Quentin. Deixara-o muito assustado. Tão assustado, assim veio à tona a história, que ele andava inventando desculpas para não ir à escola – o que fez com que toda a questão chegasse aos ouvidos da Sra. Parsons.

Francis quase sentiu pena dele, mas, naquele momento, estava mais preocupado com o que poderia acontecer à amiga. A Sra. Parsons dissera, no primeiro dia de aula de Andi, que, caso ela se envolvesse em algum tipo de briga, teria que deixar a escola, e a diretora não era o tipo de pessoa que fazia ameaças vazias.

Foi por pouco. Quando Andi finalmente foi arrastada até a sala da diretora, havia só dois motivos, disse a Sra. Parsons, para ela não estar a caminho de casa àquela altura. O primeiro era a série de excelentes relatos dos professores – todos afirmavam que ela estava se adaptando bem e fazendo bom uso do seu tempo na escola –, só que, mais importante que isso, disse a Sra. Parsons, fora o apelo que Quentin fizera em nome da aluna.

– Quentin pediu para você não ser expulsa? – Francis estava à espera de Andi do lado de fora da sala da diretora para ouvir o que acontecera, e ficou compreensivelmente intrigado. – Por que ele faria isso?

Andi deu de ombros. – Ele disse que em parte também era responsável, e não parecia justo que eu levasse toda a culpa. Falou que, se eu prometesse não bater nele outra vez, estaria tudo bem.

– Ok, mas... você não levou nenhum castigo? – perguntou Francis.

– Três semanas cuidando do lixo – contou Andi, enquanto desciam pelo corredor. – Passa rápido. – Então, ela tomou o braço dele. – Se eu *tivesse* sido expulsa, você sentiria a minha falta?

– Imensamente – disse Francis. – Na verdade, provavelmente teria que me matar.

E, por algum motivo, aquilo fez os dois caírem na gargalhada.

Jessica achou que Andi teve sorte.

– Se não fosse pela intervenção de Quentin, a Sra. Parsons teria expulsado. Sei que teria – disse ela. – Eu me pergunto por que ele fez isso.

– E eu me pergunto por que não falei para ele parar com as provocações, como você sugeriu – disse Francis. – Não sei se ele *teria* parado, mas eu deveria ter tentado.

Como Andi ainda fazia sua ronda do lixo e Roland tinha ido ao dentista, Francis e Jessica estavam sozinhos no sofá do sótão do número 47. Depois de ouvir toda a história do que acontecera com a Sra. Parsons naquele dia, a conversa se voltou para a excursão de Jessica a Londres.

O dia no Victoria & Albert teve seus altos e baixos – Jackie Wilmot vomitou em cima da Srta. Jossaume no ônibus e ouviu-se o boato de que alguém teria visto Lorna Gilchrist roubando livros na loja do museu –, mas a mostra em si compensou todo o resto.

Vivienne Westwood era uma estilista que ambos admiravam enormemente, e, na condição de fantasma, Jessica não só podia descrever o que tinha visto, mas também demonstrar. Francis ficou sentado no sofá enquanto ela *reproduzia* um modelo após o outro, terminando com um vestido feito com uma estampa asteca e com uma bainha angular que deixou Francis particularmente admirado, e que, segundo ele, lhe caía superbem. Na próxima vez que a escola organizasse uma visita ao museu, disse ele, insistiria para que o deixassem ir.

De um jeito ou de outro, o dia fora bom para os dois, por mais que Jessica se visse com a estranha sensação de que havia *deixado escapar* algo.

– É um pouco como quando eu estive no hospital – disse ela, tentando se explicar –, no dia em que descobri que estava morta, sabe? Quando senti que havia algo que eu deveria fazer.

– Lembro que o problema na época era que você não tinha ideia *do que* deveria fazer – disse Francis.

– Eu não tinha. Ainda não tenho. Mas estive pensando no que Roland falou, sobre existirem outros adolescentes, e como preciso encontrá-los para poder seguir em frente. Não sei se deveria sair por aí e começar a procurá-los.

– Também não sei como você pode fazer isso – disse Francis. – A não ser que pense em perambular pela escola gritando para ver se alguém consegue ouvi-la.

Era bem isso que Jessica tinha em mente.

– Pode funcionar, não?

– Pode – disse Francis –, mas eu duvido.

– Por quê?

– Bem, se eu estivesse andando pela escola e ouvisse alguém gritando, "Consegue me ouvir? Sou um fantasma e preciso falar com você", eu provavelmente começaria a andar na direção oposta o mais rápido possível.

– Ah... – Jessica soltou um suspiro. – Eu não tinha pensado nisso.

– E, de qualquer forma, não foi isso que deu certo antes, foi? – continuou Francis. – Quero dizer, você não teve que procurar por mim, teve? Não teve que procurar por nenhum de nós. Simplesmente estávamos... ali.

– Então devo apenas me sentar e esperar?

– Isso não seria tão ruim, seria? – perguntou Francis. – Não sei quanto a você, mas eu estou adorando isso tudo. Tenho três amigos agora, um dos quais tem uma piscina, a outra que faz com que eu me sinta protegido pelas Forças Armadas, e uma terceira que não só é incrivelmente linda, como sai por aí depois da escola usando um original de Vivienne Westwood... Estou me divertindo como não me divirto há anos.

Do andar de baixo veio o barulho da campainha.

– Deve ser a Andi. Vou abrir para ela.

Francis foi em direção à porta, mas se virou antes de deixar o quarto. – Sei que a amiga de Roland falou que era importante você seguir em frente e não ficar presa aqui, mas não quero que vá embora. Não quero que vá a lugar algum. No que me diz respeito, quanto mais você ficar, melhor.

Jessica o viu sair e decidiu que talvez ele estivesse certo. Talvez não houvesse uma necessidade real de *fazer* algo. Se existisse mais alguém que precisava da sua ajuda, ele apareceria – ou não – no momento certo. Enquanto isso, ela poderia, como disse Francis, aproveitar ao máximo enquanto esperava. Curtir os amigos. Curtir a companhia deles. Curtir estar junto…

E qual foi a outra coisa que Francis disse? *Incrivelmente linda…*

Jessica sorriu para si mesma.

Por sinal, seria engraçado se ele achasse isso de verdade…

Na Páscoa, a mãe de Roland levou todos os quatro de férias para o Center Parcs em Longleat. A Sra. Boyle achou que só estava levando três pessoas, é claro, mas nenhuma delas teria ido sem Jessica, que ocupava muito pouco espaço no carro, sentada no meio do banco de trás.

O Center Parcs é basicamente projetado para famílias que gostam de atividades ao ar livre, e, apesar do fato de Francis não ter grande interesse por esportes e de Jessica ser um fantasma, tudo funcionou impressionantemente bem. O alojamento que ocuparam era espaçoso e confortável, e quase a primeira coisa que Francis descobriu quando chegaram foi cerca de uma centena de edições antigas da *Harper's Bazaar* deixadas num dos armários. Ele e Jessica passaram boa parte do feriado sentados junto à piscina folheando as páginas e fazendo anotações, juntando-se ocasionalmente a Andi e Roland quando nadavam, pedalavam pelo bosque, jogavam badminton, andavam a cavalo e escalavam.

Andi achava que os dias de atividade ao ar livre eram o próprio paraíso, e era Roland quem normalmente lhe fazia companhia. Por que alguém tão volumoso deveria estar preparado para escalar ou pedalar por quilômetros, quando claramente fora projetado para passar a maior parte do dia sentado em frente ao computador, era um mistério, mas a verdade era que ele esbanjava alegria e felicidade. Quando Andi sugeria outro mergulho, Roland se levantava e pegava a toalha. Se sugeria um passeio de bicicleta ou um pouco de escalada, ele logo ia lá para fora e colocava seu equipamento de segurança. Se ela queria subir numa árvore, jogar alguns sets ou fazer uma trilha mais pesada, Roland estava logo atrás dela. Podia parecer que o esforço o estava matando, mas ele estava sempre lá.

Aquilo intrigava Francis. – Por que ele está se comportando assim? – perguntou a Jessica, um dia, enquanto assistiam ao duelo entre Roland e Andi, que mediam forças na quadra de badminton. – Quero dizer, não é possível que esteja se divertindo, certo?

– É porque ele gosta dela. – Jessica estava parada atrás de Francis, massageando seus ombros.

– Eu sei que ele gosta dela – disse Francis, relaxando com o calor que se espalhava pelos músculos das costas –, todos gostamos, mas é que...

– Não – interrompeu Jessica. – Não estou falando desse jeito. Estou dizendo que... ele *gosta* dela.

Francis ficou um tanto surpreso. Andi? Roland *gostava* da Andi? Ele prestou atenção nos dois na quadra.

Roland, apesar do tamanho, conseguia fazer um oponente suar numa partida de badminton. Era grande, mas também surpreendentemente ligeiro, e tinha a capacidade de lançar a peteca bem no ponto em que ficava fora do alcance de Andi. Sob o olhar de Francis, ele venceu o jogo, e Andi jogou a raquete longe de raiva, correu até Roland, derrubou-o no chão e começou a esmurrar seu peito. Ela o estava socando com uma certa força, mas ele parecia não se importar. Apesar de todos os seus protestos, parecia que estava se divertindo para valer.

– Ela sabe? Que ele gosta dela?

– Ah, sabe! – Jessica sorriu.

– E não se importa?

– Eu acho... – Jessica jogou a cabeça para o lado – ... que ter alguém gostando dela desse jeito é algo que Andi jamais teve antes, e, na verdade, ela está curtindo tudo isso.

Aquilo explicava muita coisa, pensou Francis. Explicava por que Roland sempre fazia o que Andi sugeria. Por que ele a seguia como um cãozinho babão. Por que sempre perguntava o que ela preferia fazer. Refletindo sobre o assunto, aquilo também explicava por que Roland vinha recusando tantos biscoitos e lanches naqueles dias, como se estivesse fazendo algum tipo de dieta.

Depois que a situação foi exposta, Francis se perguntou por que não tinha sacado tudo antes. Roland gostava de Andi. De verdade. Daria a vida por ela e, de certa forma, foi isso que ela pediu a ele que fizesse.

Pois foi Andi quem disse a Roland que ele deveria voltar para a escola.

– Por que eu iria querer voltar? – Roland ficou completamente encucado quando a ideia lhe foi sugerida. – Eu odeio aquele colégio.

– Eu não estou dizendo que você deve voltar para o St. Saviour's – disse Andi. – Estou dizendo que deveria vir à escola com a gente. Na John Felton. Daí vamos poder passar o dia todo juntos, e não só a noite. – Andi tomou-lhe o braço. – Você poderia entrar para o clube de badminton. Poderíamos ajudar um ao outro nas lições. Acho que iríamos nos divertir.

As palavras "diversão" e "escola" não ocupavam o mesmo espaço na cabeça de Roland, mas era Andi quem estava pedindo. A ideia de ficar ao lado dela o dia inteiro durante as aulas de verão era a tentação mais forte do mundo. Mesmo assim, ele não se mostrava lá muito seguro.

Ainda estava na dúvida, no último sábado das férias, quando os quatro saíram para fazer compras. Estavam na Dummer's, e Andi se encontrava na cabine com Jessica, provando algumas roupas, enquanto os meninos aguardavam do lado de fora.

– O negócio – dizia Roland – é que eu não consigo ver como as coisas seriam diferentes da minha escola para a de vocês. Ainda tenho o mesmo corpo. As pessoas ainda ririam de mim e diriam coisas pelas minhas costas...

– Eu acho que não – disse Francis.

– Por que não?

– Por dois motivos. – Francis os elencou nos dedos. – O primeiro é que temos essa nova diretora, que fará um verdadeiro escarcéu se os alunos agirem dessa maneira.

E o segundo é que todos vão saber que, se disserem algo grosseiro para você, Andi acabará com eles. Ela pode ser bem agressiva, sabia?

– Não sei muito bem se eu gostaria que Andi batesse em alguém por minha causa. – Roland estava sentado num banco, todo melancólico, com as mãos no queixo. – É bom saber que ela faria isso se eu pedisse, mas...

– Você não precisaria pedir – disse Francis. – Nunca pedi para ela encostar o dedo em ninguém. Mas posso te garantir: assim que o pessoal souber que você é amigo dela, ninguém vai ter coragem de dar um pio. É só isso que você precisa.

Roland parecia inseguro, mas, naquele instante, a cortina da cabine se abriu e Andi apareceu. Vestia uma microssaia e um top brilhante ainda menor. Jessica estava vestida da mesma forma.

– Tchã-rã! – As duas abriram os braços, fizeram uma pose e sorriram para os dois meninos.

– O que acham? – perguntou Andi.

– Achei que experimentaria a calça – disse Francis.

Roland ficou mudo. Simplesmente a observou, mas, por dentro, foi naquele momento que tomou sua decisão. Ele voltaria à escola. Acontecesse o que acontecesse, se aquilo significava que poderia passar mais tempo com Andi, então valeria a pena.

A Francis coube a missão de explicar as coisas à mãe de Roland. Estava um pouco preocupado por achar que, depois de todo o tempo e o dinheiro que ela investira no ensino domiciliar, a Sra. Boyle não fosse pular de alegria diante da notícia de que o filho decidira, afinal de contas, que queria voltar à escola.

Francis não podia estar mais equivocado. A reação instantânea da Sra. Boyle à novidade foi soltar um enorme grito de deleite, seguido por um longo e constrangedor abraço. Seu Roland estava voltando à escola! Ela mal conseguia acreditar! Sairia pela manhã com os amigos, como um menino normal, e voltaria para casa, feliz da vida, no final do dia. Era como ela sempre sonhara.

Como Francis conseguira, isso ela não fazia ideia, mas sua suspeita era que ele planejara com astúcia a coisa toda, desde o princípio. Deixara deliberadamente que Roland relaxasse por alguns meses, deixara que recuperasse sua autoconfiança passando um tempo em casa, e agora o estava levando de volta à escola. A habilidade com que regera tudo aquilo a deixara perplexa.

– Tem certeza de que ele está pronto para isso? – ela perguntou, enquanto os dois estavam sentados à mesa da cozinha. – Não acha que algo pode... acontecer?

– Acredito que não – disse Francis. – Mas, caso aconteça, eu e Andi estaremos ao lado dele para ajudar.

– Claro que sim. – A Sra. Boyle esticou o braço e lhe deu uns tapinhas na mão. – E Ronnie e eu lhe somos muitíssimo gratos. Vou telefonar para a Sra. Parsons amanhã e marcar uma entrevista.

– Ótimo. – Francis se levantou. – Eu vou contar pro Roland.

– Queria pedir um conselho seu sobre outra coisa... – disse a Sra. Boyle – se você tiver tempo.

– Sim, mas é claro. – Francis se sentou novamente.

– Enquanto você fazia essa coisa toda com Rollo... – a Sra. Boyle gesticulou para os livros escolares que tomavam a mesa – descobri que o trabalho não era tão difícil quanto eu esperava, e me veio à mente que eu poderia seguir em frente, e talvez até fazer um ou outro teste. – Sem perceber, ela pegou um pedaço de papel e começou a enrolá-lo nos dedos. – Acha que isso soa como uma bobagem?

Francis não sabia bem o que responder.

– Quer fazer alguns cursos?

– Sei que provavelmente já estou muito velha, e não sou tão esperta como todos vocês...

– Ela é mais inteligente que a maioria das pessoas na John Felton – disse Jessica – e se esforça bastante. Diga para ir em frente.

– Eu acho que a senhora é mais esperta que a maioria das pessoas que conheço na escola – disse Francis –, e a senhora se esforça pra valer. Acho que deveria ir em frente.

A Sra. Boyle enrubesceu, e então um grande sorriso se espalhou no seu rosto. – Obrigada – agradeceu. – Tinha esperança de que você fosse dizer isso.

24

A mãe de Roland foi ver a Sra. Parsons na segunda-feira seguinte e ela concordou em aceitar Roland na escola. Houve um pequeno atraso enquanto esperavam que o uniforme dele chegasse, mas, na terceira semana do semestre de verão, ele estava pronto para as aulas e, depois de começar, foi mais fácil do que imaginava.

Francis tinha razão. Ninguém comentou sobre seu tamanho. Quando ele entrava na sala de aula, ninguém dizia nada. A maioria dos colegas nem mesmo olhava para ele. Erguiam o olhar quando ele chegava e, em seguida, continuavam com o dever ou com o que quer que estivessem fazendo. Os professores pareciam saber quem ele era e estavam à sua espera, por isso as longas e constrangedoras apresentações não eram necessárias. Diziam aonde ele deveria ir, deixavam-no sentar-se e seguiam com a aula.

Roland chegava até mesmo a gostar das lições. Estar com os amigos era muito mais divertido que ficar na cozinha com a mãe. Era legal sentar-se ao lado de Andi e Francis, vendo Jessica flutuar para cima e para baixo, atravessando o piso, e era muito bom passear com eles no recreio e ficar sentado no banco do outro lado do pátio, pegando sol.

A Sra. Parsons fez os arranjos necessários para que Roland estivesse na mesma turma de Andi e Francis na maioria das aulas, mas em uma matéria não foi possível. Roland estudava espanhol como língua estrangeira – seus pais tinham uma casa em Andorra –, ao passo que Francis e Andi faziam francês, e foi isso que levou a um incidente infeliz logo no primeiro dia.

A aula em si não foi um problema. Jessica acompanhou Roland, para se certificar de que ele saberia aonde ir e para lhe fazer companhia, e a lição foi, se não outra coisa, um pouco mais fácil do que ele lembrava do St. Saviour's. Mas, na hora do lanche, enquanto Jessica lhe mostrava o caminho de volta até o banco onde os quatro haviam combinado de se encontrar para comer, alguém gritou "Ei, você aí" para Roland.

Roland parou e se virou, enquanto um menino se aproximava e o encarava.

– Cara, você é enorme – disse ele. – Quero dizer, até temos gente gorda por aqui, mas você é... imenso!

– Vai embora – pediu Jessica. – Vamos lá, Roland... vai embora!

Mas Roland não foi embora. Ficou ali parado, encarando o chão. O menino então esticou o braço e levantou o casaco dele.

– Olha só isso! – exclamou. – Tem um monte de banha transbordando por cima da calça!

Jessica abriu a boca para dizer algo, depois mudou de ideia e desapareceu. No instante seguinte, estava em pé ao lado de Francis, no banco do pátio.

– Cadê a Andi? – perguntou, aflita.

– Foi ao banheiro, eu acho. – Francis ergueu o olhar. – Por quê?

– É Roland. Dermot está tirando sarro dele. Bem ali.

Ela apontou para o outro lado do pátio, onde Dermot estava literalmente cutucando a barriga de Roland de maneira debochada.

– Parece um pouco um balão de água, não parece? – zoava ele. – Quero dizer, dá pra levantar isso aqui tudo, ó, e depois...

– Para com isso! – Francis estava atravessando o pátio correndo na direção dele, gritando a plenos pulmões. – Deixa ele em paz!

Dermot olhou ao redor, surpreso.

– O que você acha que está fazendo? – Francis arfava depois de correr para chegar perto de Roland. – Deixa ele em paz!

– Não estou *fazendo* nada! – Dermot soltou o casaco de Roland. – Estou só olhando.

– Isso é bullying! – afirmou Francis. – E você não tem o direito de...

– Por que não vai cuidar da sua vida? – interrompeu Dermot. – Isso não é problema seu.

– Isso *é* problema meu – disse Francis, zangado. – Ele é meu amigo, e, mesmo que não fosse, ainda seria da minha conta.

Naquele momento, o Sr. Anderson, um dos professores de Educação Física, apareceu.

– O que está havendo aqui? – perguntou.

– Dermot está rindo de Roland por ele ser gordo – contou Francis.

– Não é verdade! – disse Dermot. – Eu não estava rindo. Em nenhum momento eu ri.

– Ele disse que o Roland é enorme – soprou Jessica. – E disse também que até tem gente gorda por aqui, mas que ele é imenso.

– Ele disse que o Roland é enorme – repetiu Francis. – E disse que até tem gente gorda por aqui, mas que ele é imenso.

– Ah, pelo amor de Deus! – O Sr. Anderson lançou para Dermot um olhar irritado de reprovação. – Você não ouve nunca? Não escutou o que a Sra. Parsons disse na reunião?

– Que reunião? – perguntou Dermot. – Eu andei sumido.

– Certo... – O Sr. Anderson respirou fundo. – Vá até ali e espere. – Voltou-se para Roland. – Eu lamento que tenha que passar por isso no seu primeiro dia. Você está bem?

– Sim – respondeu Roland. – Sim, acho que sim.

– Vou explicar algumas regras de boas maneiras ao Sr. Dermot – disse o Sr. Anderson – e prometo que ele nunca mais vai perturbar você. Agora, se quiser prestar uma queixa formal...

– Não, não – disse Roland. – Está tudo bem.

– Ok... – concordou o Sr. Anderson com a cabeça. – Bom, se você mudar de ideia, me avise. – E partiu em direção a Dermot.

Andi estava à espera deles no banco do pátio.

– Jessica me contou o que aconteceu – disse ela. – Não se preocupe, vou ter uma conversinha com aquele verme e...

– Não – pediu Roland. – Por favor, não faça isso. Só vai te causar problemas e...

– Não tô nem aí – disse Andi. – Ele não vai se safar dessa...

– Não, por favor! De verdade! – insistiu Roland. – Eu prefiro que você não faça nada. Não teve importância. É sério... não teve importância alguma.

E foi só quando disse aquelas palavras que ele percebeu que era verdade. *Não tinha importância!* Alguém o abordara e dissera que ele era gordo e... simplesmente não tinha importância. Alguns meses antes, um incidente daquele o faria ir chorar no banheiro até chegar a hora de voltar para casa, mas agora... agora tudo o que podia pensar era por que diabos não falara para Dermot cair fora, ou por que simplesmente não lhe dera as costas.

A coisa que ele mais temia que acontecesse, de fato *aconteceu*, mas, por algum motivo, não foi nada demais. Talvez fosse por haver amigos ao seu redor que diziam que não era nada demais, talvez fosse isso a fazer a diferença. Ou talvez tenha sido a simples percepção de que alguém lhe dizendo que era gordo não tinha toda essa importância. Já não significava nada. E se a mesma coisa acontecesse no dia seguinte, tampouco teria importância.

– Tem certeza de que está bem? – perguntou Francis.

– Tenho – respondeu Roland.

Ele respirou fundo e sorriu.

– É sério, estou bem!

25

Depois de passar o dia com os amigos, Jessica voltava, como fazia toda noite, para o quarto no hospital onde descobriu que estava morta. O horário em que voltava podia variar um pouco de um dia para outro, mas geralmente era entre oito e nove horas. Ainda não fazia ideia de por que voltava para lá, mas a necessidade de fazê-lo provocava o mesmo tipo de compulsão que faz algumas pessoas lavarem as mãos continuamente ou evitarem pisar em rachaduras na calçada.

Francis foi o primeiro a perceber que o horário da despedida parecia estar ficando cada vez mais cedo. À medida que o semestre de verão avançava, ele notou que normalmente ela ia embora antes das oito, e que às vezes partia mais para perto das sete.

Jessica tentou, quando isso lhe foi apontado, se obrigar a ficar um pouco mais, porém a força que a fazia voltar ao quarto no terceiro andar, fosse ela qual fosse, era quase impossível de resistir. Quando tinha que ir, tinha que ir.

Ela perguntou a Roland se ele sabia algum motivo pelo qual tudo aquilo poderia estar acontecendo, mas ele disse que não. Nem tampouco, quando a pergunta lhe foi posta, soube responder sua amiga da Austrália.

– Ela disse que você deve apenas torcer para que não piore – relatou ele – e que não se veja presa no hospital tanto de dia quanto de noite!

Aquela era uma ideia alarmante.

– Tenho certeza de que isso nunca vai acontecer – disse Francis, com firmeza. – Estamos falando apenas de uma hora ou duas, não? Estou certo de que não precisamos nos preocupar.

Talvez fosse só uma hora ou duas, mas Jessica *ficou* preocupada. Além da perspectiva de piorar, havia ocasiões em que aquilo já vinha se mostrando um inconveniente. No final de semana, caso estivessem assistindo a um filme ou a mãe de Andi os levasse para comer fora, Jessica podia descobrir de repente que todos ao seu redor tinham desaparecido e que ela estava de volta ao hospital. Acontecia sem qualquer tipo de aviso, e era um tanto desconcertante.

E obviamente também significava que ela acabava ficando de fora de programas como a excursão da Sra. Boyle ao teatro.

A mãe de Roland organizou o passeio ao teatro para comemorar o retorno bem-sucedido do filho à escola. Ela havia comprado ingressos para um remake de *Rocky Horror Show* em Southampton. Tinha ouvido falar que o espetáculo contava com figurinos nada convencionais, que ela achou que Francis poderia gostar, e ele de fato se mostrou interessado, mas ficou desapontado quando, pouco antes de saírem, Jessica anunciou que não iria com eles.

– Não? – Francis ergueu o olhar da bainha do vestido que estava consertando. – Por quê? Aconteceu alguma coisa?

– Na verdade, não, é só que... tenho que voltar ao hospital – explicou. – Agora.

– Ah. – Francis já sabia que Jessica não conseguiria assistir ao espetáculo inteiro. Ela planejara ver ao menos a primeira metade. Olhando rapidamente para o relógio, ele percebeu que mal passava das seis. Ela nunca tivera que ir embora tão cedo assim.

– Ok. – Ele se esforçou ao máximo para parecer despreocupado. – Bem, vejo você amanhã. Depois eu te conto tudo.

– Sim... – Jessica abriu a boca para dizer mais alguma coisa, mas, antes que pudesse falar, a mãe de Francis gritou do andar de baixo para avisar que o carro havia chegado e que a Sra. Boyle e os amigos estavam esperando.

Francis foi até a escada para dizer à mãe que já estava a caminho, mas quando voltou para ouvir o que Jessica queria falar...

... ela já não estava mais lá.

Algumas horas depois, no hospital, Jessica se perguntou pela milésima vez o que possivelmente poderia estar fazendo com que voltasse ali com tamanha regularidade e tamanha insistência. Não era como se tivesse o que fazer quando chegava. A não ser ficar olhando para o edifício-garagem do outro lado da rua. Ela não se importava exatamente em estar ali – podia ser um pouco tedioso, talvez, mas dava para se acostumar –, apenas se perguntava o sentido daquilo.

Ela também se perguntava o que aconteceria se o que a amiga de Roland na Austrália dissera se tornasse verdade. E se o ímpeto de voltar ao hospital *de fato* aumentasse até chegar ao ponto em que precisasse estar ali durante a maior parte do dia, assim como a noite inteira? O que faria se não pudesse mais estar com os amigos? O que faria se...

Um movimento na rua lá embaixo interrompeu seus pensamentos. Alguém que ela reconheceu estava subindo a ladeira. Era uma menina da turma de Francis na escola – Lorna, Lorna Gilchrist –, e Jessica se perguntou o que ela estava fazendo ali numa hora daquelas.

Não parecia que se envolvera em algum acidente, e já estava tarde demais para uma consulta em uma das clínicas, então provavelmente viera visitar algum parente ou amigo, pensou Jessica. A não ser pelo fato de que, no alto da rua, em vez de entrar no hospital, Lorna virou à esquerda e atravessou o asfalto até a entrada do edifício-garagem.

Aquele era um lugar bem estranho para ir desacompanhada. Passava das dez horas, o sol já havia se posto e o estacionamento àquela hora não era um lugar por onde Jessica gostava de caminhar sozinha, mesmo sendo um fantasma. Deveria haver um segurança na entrada, mas ele nem sempre se encontrava em seu posto. Por que ela *estava* sozinha?

Jessica se viu flutuando janela afora e pelo ar sobre a rua. Talvez Lorna fosse se encontrar com alguém. Talvez a pessoa com quem fosse se encontrar tivesse estacionado o carro ali e estivesse esperando... Mas não, não poderia ser isso, pois agora ela havia emergido da escadaria no andar mais alto do estacionamento, onde não havia um só carro à vista.

O fato de estar só não parecia incomodar Lorna. Ela carregava uma bolsa pequena e caminhou direto rumo ao parapeito do outro lado do prédio, de onde olhou para o horizonte. Em meio ao escurecer, as luzes da cidade se espalhavam debaixo dela, descendo até a catedral, com sua imensa torre central. Num movimento rápido, Lorna se lançou sobre o parapeito, jogou as pernas para o lado de fora e sentou-se ali, *admirando* a vista.

Aquilo deixou Jessica um pouco nervosa. O estacionamento ficava num aclive, e a queda daquele lado era de seis andares, bem numa área de concreto. Se escorregasse, ou se perdesse o equilíbrio por algum motivo, com certeza morreria. Mas Lorna claramente não estava preocupada com isso. Tirou da bolsa um surrado cachorro de pelúcia, colocou-o ao seu lado no parapeito e então se inclinou para frente e espiou o chão lá embaixo.

Foi só nesse momento que Jessica se deu conta do que estava acontecendo.

Ela sabia exatamente por que Lorna estava ali e o que planejava fazer.

Ela iria pular.

Lorna iria pular.

26

Pular do último andar do estacionamento era algo que Lorna Gilchrist vinha planejando há semanas, e tanto a hora quanto o lugar foram escolhidos a dedo. Ela havia estudado a altura necessária para que alguém do seu peso não sobrevivesse à queda – era uma garota inteligente, boa com números – e tinha calculado que, contanto que caísse de cabeça, os cerca de vinte metros até o chão eram mais que suficientes para quebrar seu pescoço.

Não estava bem certa sobre quando tomara a decisão final. Era algo que se infiltrara nela nos últimos meses, mas na sua mente não havia dúvida de que aquela era a escolha certa. Não conseguia seguir em frente diante da *vida como ela é* e não conseguia enxergar uma saída. Naquelas circunstâncias, pular de cabeça do alto de um edifício-garagem não parecia apenas razoável, mas seguramente a melhor coisa a fazer.

Oito meses atrás, o pai de Lorna simplesmente desapareceu. O Sr. Gilchrist era um advogado que saiu pela manhã certo dia e nunca mais voltou. Ninguém sabia o que havia acontecido. A sra. Gilchrist não sabia se o marido tinha sido atropelado, sequestrado, ou sofrido uma amnésia súbita. Assim como ninguém mais sabia, até que, depois de cinco meses de incertezas, um policial foi até a casa para dizer que o Sr. Gilchrist havia sido encontrado e que estava trabalhando como garçom em Londres, morando com uma garota que conhecera num ponto de ônibus. Desde o dia em que o pai abandonou a família, Lorna não mais o viu ou ouviu a voz dele.

Aquilo foi um choque, um terrível choque, mas poderia ser superado. No entanto, surgiu outro problema, e foi na escola. Lorna nunca soube por que Denise Ritchie e Angela Wyman resolveram fofocar sobre ela – supôs que, por algum motivo, as duas não iam com a sua cara –, mas qualquer que fosse a razão, era bastante doloroso.

Fora Denise quem espalhara a lenda de que Lorna molhava as calças na escola e tinha que levar calcinhas limpas para se trocar duas vezes por dia. Ela contava a história como se tivesse pena de Lorna, mas durante a aula, quando levantava a mão e pedia que abrissem a janela, pois estava sentindo um cheiro forte, todos sabiam o que aquilo significava, inclusive Lorna.

Angela, não querendo ficar para trás, inventara uma história de que Lorna roubava coisas em lojas, embora, à medida que passava adiante a fofoca, dissesse que tinha certeza de que aquilo não poderia ser verdade. Entretanto, sempre que algo sumia da mochila de alguém, ela suspirava e fazia um barulho de reprovação com a boca, deixando claro que, infelizmente, sabia quem provavelmente era a responsável.

Havia literalmente dezenas de mentiras desse tipo, uma mais cruel que a outra, e embora de início poucas pessoas acreditassem nelas, ao longo do tempo foram ganhando uma certa força. Até que Denise surgiu um dia com a tal história de que o pai de Lorna fugira com uma menina não muito mais velha que a filha, a quem conhecera num ponto de ônibus. E quando se descobriu que aquilo *era* verdade, as pessoas se perguntaram se algumas das outras coisas também não poderiam ser.

Um médico, caso ela tivesse consultado um, poderia ter dito a Lorna que ela estava clinicamente deprimida e explicado como isso afetava a química no seu cérebro. Mas Lorna não falou com médico algum. Não falou com ninguém sobre como se sentia. Em vez disso, chegou à conclusão solitária de que seria mais simples para todo mundo se subisse no alto de um edifício-garagem... e se jogasse.

Então era por isso que estava ali, pensou Jessica. Era isso que a vinha atraindo de volta ao hospital toda noite. De repente, tudo fez sentido. Estava ali para impedir que Lorna pulasse. Para impedir que cometesse o mesmo erro que ela mesma cometera, mas... havia um problema.

Lorna não conseguia ouvi-la. Jessica chamou-a do outro lado do estacionamento, depois gritou e acenou, até finalmente ficar próxima da figura sentada no parapeito e flutuar bem diante dela, suplicando para que voltasse à segurança, implorando para que pensasse melhor. Mas Lorna não a escutava e tampouco a via. Por que isso acontecia – por que a pessoa que mais *precisava* ouvi-la não conseguia fazê-lo –, Jessica não sabia dizer. Mas Lorna claramente não fazia a menor ideia de que ela estava ali.

Jessica pensou nos amigos. Se pudesse dizer a Francis, Andi ou Roland o que estava acontecendo, eles poderiam buscar ajuda. Ou eles mesmos poderiam ir até ali e conversar com Lorna. Poderiam lhe dizer que sabiam, melhor do que a maioria das pessoas, como ela se sentia.

Mas os amigos ainda estavam num carro em algum lugar na estrada, voltando do teatro. Ela rapidamente se imaginou na casa de Roland para ver se tinham voltado mais cedo, depois esteve na avenida Alma para ver se a Sra. Boyle passara por ali antes, mas não havia sinal algum deles, e Jessica voltou ao edifício-garagem. Sentou-se ao lado de Lorna no parapeito e se perguntou, desesperadamente, o que mais poderia fazer.

Quem mais poderia ajudar?

Subitamente, sem pensar, Jessica se viu de volta ao seu velho quarto na casa da Tia Jo. Num momento, estava sentada com Lorna no estacionamento, no outro, estava parada no cantinho do quarto onde costumava ficar sua cama, enquanto, no lado oposto, Tia Jo se encontrava sentada à mesa junto à janela, escrevendo uma carta no computador.

– Tia? – chamou Jessica. – Tia, pode me ajudar?

Tia Jo não respondeu, e o único som era o dos seus dedos no teclado.

– Tia! – Jessica se pegou gritando. – É uma emergência, por favor! Você tem que me ajudar!

Mas gritar não surtiu mais efeito do que no edifício-garagem, com Lorna. Tia Jo não podia ouvi-la, e Jessica sentia uma frustração crescente. – Você *tem* que me ouvir! – urrou a plenos pulmões. – Preciso da sua ajuda! Ela vai se suicidar! – Jessica deu um passo à frente e tentou segurar os ombros da tia, mas obviamente não havia nada para segurar. Suas mãos atravessaram o corpo dela...

... e Tia Jo parou de digitar.

Com as mãos congeladas sobre as teclas, ela virou a cabeça para um lado, como se tivesse ouvido algo.

Jessica se aproximou a tal ponto do corpo da tia, que as duas quase se fundiram.

– Ouça – disse diretamente no ouvido da tia. – Você precisa ir ao hospital. Está me ouvindo? Lorna vai se matar, você precisa ir até lá. Precisa ir para lá *agora*!

Tia Jo permaneceu imóvel.

– Ah, me poupe! – Num gesto de frustração, Jessica passou a mão através do computador que, depois de um clique ligeiro, desligou sozinho. – Ouça o que eu estou dizendo! Você precisa ir ao hospital. O hospital! Precisa ir até lá. Não tem mais ninguém. Você precisa impedi-la...

O rosto da Tia Jo trazia um olhar confuso quando ela se virou na cadeira e fitou cuidadosamente o quarto.

– O hospital... Precisa ir ao hospital... Tem que ir lá agora... – Jessica repetia as mesmas frases sem parar, com metade do corpo ainda fundido ao da tia.

Tia Jo, com aquele olhar levemente intrigado no rosto, levantou-se. Jessica a seguiu quando ela deixou o quarto e desceu lentamente a escada. Parou no corredor para colocar a cabeça para dentro da sala de estar.

– Eu vou dar uma saidinha, George – avisou e, sem esperar pela resposta, pegou as chaves do carro e saiu pela porta da frente.

Lorna estava exatamente como Jessica a deixara, sentada no parapeito com a bolsa e o cachorro de pelúcia, olhando a cidade.

Jessica se sentou ao lado dela.

– Vai ficar tudo bem – disse. – Tia Jo está a caminho. Ela vai saber o que fazer. Fez treinamento para esse tipo de coisa. Só precisa esperar até que ela chegue. Quinze minutos, só isso.

Jessica esperava estar certa. Seguira a tia até a porta da frente e a vira entrar no pequeno carro parado na garagem. Havia se sentado no banco do passageiro enquanto Tia Jo pegava a estrada rumo ao hospital, mas depois decidira voltar a Lorna.

Não que tivesse muito mais que pudesse fazer, agora que estava ali. Lorna ainda não dava sinais de poder ouvir o que ela dizia, mas Jessica continuava a falar mesmo assim. Contou a Lorna sobre suas próprias experiências, sobre sua mãe e sua avó, e sobre ir morar com a Tia Jo e o Tio George. Contou sobre morrer e se transformar num fantasma, sobre ficar presa e, à medida que os minutos passavam, começou a pensar que tudo poderia terminar bem.

Então, com os ponteiros do grande relógio no alto da torre do hospital às costas delas apontando cinco para as onze, Lorna respirou fundo e se levantou. Ficou parada no parapeito, com a brisa morna fazendo seus cabelos e suas roupas tremularem, olhou fixamente para o concreto lá embaixo e deu meio passo à frente.

– Não! – gritou Jessica. Tia Jo ainda levaria, ao menos, uns cinco minutos para chegar. – Não pode fazer isso. Não pode. Você tem que esperar! – Ela flutuou para ficar diante da menina, empurrando-a para trás com mãos que desapareciam no peito de Lorna. – Não vai cometer o mesmo erro que eu. Não vou deixar...

Lorna não a ouvia, mas, enquanto continuava a gritar e implorar, Jessica pôde ver nos olhos da garota a mesma expressão intrigada que vira no rosto da tia. Como se uma parte minúscula dela soubesse o que estava sendo dito, ainda que sua mente consciente não tivesse ideia do que fosse.

27

Quando a Sra. Boyle voltou de Southampton, um pouco antes das onze, deixou Francis e Andi na avenida Alma. Francis estava descendo do banco de trás, ainda agradecendo, quando Jessica apareceu às suas costas.

– Francis! Você precisa ajudar!

– Jessica? – Ele se virou. – O que foi? Qual o problema?

– Lorna. Lorna Gilchrist. Ela é a outra.

– A outra o quê? – Andi estava descendo do carro para se juntar a ele. – O que está acontecendo?

– Lorna está no alto do estacionamento do hospital. Ela vai se jogar. – Jessica já sentia que a explicação estava levando tempo demais. – Vocês têm que ir até lá. Agora. Ela não consegue me ouvir!

– Você quer que a gente vá…

– Para o estacionamento do hospital. Último andar. Agora! – gritou Jessica, e desapareceu.

– Está tudo bem? – A Sra. Boyle havia abaixado o vidro da janela e olhava com ansiedade para Francis.

– Sim – disse ele. – Perdão, mas será que a senhora… poderia nos levar ao hospital?

– Hospital?! Por quê? Está se sentindo mal?

– Não sou eu – esclareceu –, mas algo de muito ruim vai acontecer no estacionamento e é muito importante que a gente chegue lá o mais rápido possível. Poderia nos levar até lá?

Se fosse qualquer outra pessoa, a Sra. Boyle exigiria respostas para um monte de questões antes de ir a qualquer lugar, mas era Francis quem estava pedindo, e tudo o que ela fez foi virar a chave na ignição e engatar a primeira marcha.

– Não se esqueçam do cinto – pediu, voltando à rua.

Levou um pouco menos de dois minutos para percorrer os dois quilômetros e meio até o hospital. Ao subirem a ladeira, Roland, espiando pelo para-brisa do banco do passageiro, foi o primeiro a enxergar a silhueta daquela pequena figura contra o céu escuro no alto do edifício-garagem.

– Lá está ela – apontou. – Lá no alto.

A Sra. Boyle virou o carro numa rampa na entrada e parou diante da cancela. Ela estava prestes a sugerir que talvez fosse mais rápido se Francis seguisse a pé dali, mas os dois já estavam fora do carro e atravessavam a entrada correndo.

Um par de braços apareceu e agarrou os adolescentes pelo colarinho. O segurança emergira do seu posto e suas mãos carnudas seguravam com força suas camisas.

– Aonde vocês pensam que...

Ele não chegou a terminar a frase. Nem tampouco viu o golpe que o acertou em algum ponto sob o cinto. Tudo o que sabia era que não conseguia mais respirar ou caminhar. A força com que segurava Francis e Andi cedeu, e ele desabou no chão.

– Deixa que eu cuido dele – disse Andi, já se ajoelhando ao lado do segurança. – Vá atrás da Lorna.

Francis correu na direção da escada. Roland saiu do carro e, seguindo as instruções de Andi, ajudou a sentar o pálido homem, com as costas apoiadas num poste de concreto.

– O que… o que aconteceu? – arquejou, quando finalmente conseguiu respirar.

– Me parece que o senhor tropeçou no meio-fio ali – disse a Sra. Boyle, na maior cara de pau, parada diante dele. – Mas tenho certeza de que ficará bem depois de descansar um pouco. – Ela tirou o telefone do bolso e olhou para Andi. – Espero que ninguém se importe, mas vou chamar a polícia.

Francis emergiu da escadaria no alto do edifício-garagem e viu Lorna de pé no parapeito à sua direita. Ela se equilibrava com os dedos dos pés para fora da beirada, os braços erguidos como uma mergulhadora pronta para saltar. Diretamente à sua frente, com os corpos quase unidos num só, flutuava o fantasma de Jessica.

– Lorna? – chamou. – Lorna, o que está fazendo?

Lorna não deu sinal algum de tê-lo ouvido, mas parou de se mover.

– Por favor... – pediu Francis. – Por favor, desça daí.

Nenhuma resposta ainda, mas ao menos Lorna permaneceu imóvel.

– Quer que eu corra e segure ela? – Andi, esbaforida, surgiu atrás de Francis.

– É melhor não chegar perto demais – avisou Jessica. – Apenas fiquem onde estão e continuem falando.

Era muito fácil pedir para que continuasse falando, pensou Francis, mas sobre o quê? O que deveria dizer?

– Não precisa fazer isso. – Ele começou a se mover lentamente na direção do parapeito enquanto falava, mas ainda mantinha distância de Lorna. – É sério, não precisa fazer isso. O que quer que haja de errado, tenho certeza de que poderemos fazer algo a respeito, basta só que desça daí. Tem pessoas com quem poderemos falar. Pessoas a quem poderemos contar...

As palavras perderam a força. Ele se lembrou de como vinha se sentindo nas semanas antes do aparecimento de Jessica. Como estava infeliz e como tinha certeza de que ninguém poderia fazer absolutamente nada para ajudar.

– Olhe, eu sei como você está se sentindo – disse ele. – De verdade. E lamento. Eu queria saber disso antes. Queria que um de nós ficasse sabendo. Se soubéssemos, poderíamos ter... poderíamos ter... veja, por favor... por favor, desça daí... por favor...

Não funcionou. Ele simplesmente não tinha ideia do que dizer à garota à sua frente. Talvez Andi tivesse razão. Talvez o melhor a fazer fosse correr o mais rápido que pudessem e tentar agarrá-la antes que ela pulasse.

Ele deu um passo à frente e uma mão pousou em seu ombro. Ao olhar à volta, viu uma mulher alta com cabelos curtos e negros logo atrás.

– Não chegue muito perto – orientou Tia Jo em voz baixa. – Não ainda. – Ela chamou por Lorna. – Lorna? Meu nome é Joanna Barfield. Vim aqui perguntar se tem alguma coisa que eu possa fazer para ajudar você. Sei que pode parecer que não há nada que possa ser feito, mas talvez valha a pena aguentar mais um pouquinho e escutar. Caso *haja* algo a ser feito. Acredite ou não, já conversei com alguns jovens que se sentem como você e... gostaria de ouvir o que eu disse a eles?

Lorna não respondeu, mas Tia Jo pareceu não se importar. Simplesmente continuou falando. Mais tarde, nem Francis nem Andi conseguiriam se lembrar muito do que ela de fato disse, mas Francis alegou que sua voz era uma das mais tranquilas e silenciosas que já escutara. As palavras fluíam da sua boca como se fossem água correndo suave.

Bem naturalmente, ela fazia perguntas e, de início, não houve respostas, mas então ela falou algo sobre ter uma sobrinha que se sentia do mesmo modo, e Lorna imediatamente se virou para encará-la. Depois disso, algumas perguntas recebiam um aceno ou um balançar de cabeça ocasional, e Tia Jo continuou a falar e a fazer perguntas, mas agora Lorna começara a responder a algumas delas. De início, era apenas um sim ou um não, que, às vezes, se transformaram em frases, e ainda assim a voz da Tia Jo não parava, sutil como a neve caindo, persistente como a chuva.

Parte de Francis sabia que, às suas costas, outros tinham chegado ao último andar do estacionamento. Ele ouvira sirenes – consequência da ligação da mãe de Roland para a polícia – e o roçar de roupas e o som de sussurros, mas nem ele nem Andi ousaram se virar para trás. Seus olhos estavam vidrados nos pés de Lorna, equilibrando-se na beirada do parapeito.

Tia Jo ainda estava falando. Seu tom de voz reconfortante não parou nem por um minuto, e agora ela vinha se aproximando, enquanto Lorna era quem mais falava. Com a voz cheia de fúria, raiva e desespero, contava sobre as coisas que Angela e Denise haviam espalhado, aquelas histórias perversas, completamente perversas, aquelas mentiras terríveis – e Tia Jo conduzia Francis até onde ela se encontrava, e logo Francis a estava ajudando a descer do parapeito e Tia Jo abraçava a menina, que chorava em seus braços, e lhe dizia que estava tudo bem. Estava tudo bem. Tudo ficaria bem...

Uma policial apareceu com um cobertor, o qual colocou sobre os ombros de Lorna, e ela e Tia Jo levaram a menina para o outro lado do estacionamento, onde uma mulher que Francis reconheceu como a mãe de Lorna estava aguardando.

28

Por cerca de uns quinze minutos após o acontecimento, ninguém pareceu se importar muito com o que estavam fazendo Francis ou Andi. O alto do edifício-garagem estava lotado de gente. Havia policiais, paramédicos, enfermeiras e pelo menos meia dúzia de seguranças, incluindo aquele lá de baixo, ainda mancando levemente ao caminhar. Dois dos paramédicos colocavam Lorna numa maca – um processo complicado, pois ela se recusava a se separar da Tia Jo –, enquanto sua mãe gritava aos prantos a qualquer policial que lhe desse ouvidos, que algo precisava ser feito.

Francis e Andi se encaminharam até onde Jessica estava sentada no parapeito.

– Vocês chegaram aqui bem na hora – disse Jessica. – Mais alguns segundos, e ela teria pulado.

– Foi a sua tia que impediu o pior. – Francis pegou o cachorro de pelúcia e delicadamente arrumou as patas. – Ela foi incrível. Se não tivesse aparecido, acho que… – E fez uma pausa. – O que me faz pensar: *Como* ela veio parar aqui? Quem falou para ela vir?

– Acho que fui eu – revelou Jessica.

– Pensei que ela não conseguisse ver você.

– Não consegue. – E Jessica deu de ombros. – Não me peça para explicar. Eu também não entendo.

– Eu falei pra vocês! – Roland andava a passos largos para se juntar a eles. – O tempo todo eu disse que teria mais um. – E sorriu para Jessica. – Era por isso que você estava aqui, para que pudesse... – Ele parou. – Você está bem?

– Agora, sim – disse Jessica. – Por quê?

– Você... ééé... você... – Roland não sabia bem como dizer, mas Jessica parecia um tanto estranha. A pele havia adquirido um brilho esquisito, levemente luminoso. Dava para ver nas mãos e no rosto. Era uma luz branca com um tom sutil de dourado, e, enquanto ele olhava, a luz se tornou mais intensa.

– Parece que você está pegando fogo – disse Andi.

Eles observaram em silêncio enquanto a luz do corpo de Jessica se tornava cada vez mais brilhante. Logo ficou forte o bastante para atravessar a roupa dela.

– Jessica?! – Francis pareceu bastante alarmado. – O que está acontecendo?

Mas Jessica não respondeu. Ela fitava o hospital do outro lado, na direção de uma das janelas no terceiro andar, e Francis teve que repetir a pergunta duas vezes antes que ela se virasse lentamente para encará-lo.

– Me desculpe... – pediu. – Acho que tenho que ir agora.

– Ir? Para onde? – A luz do corpo de Jessica agora estava forte o bastante para fazer os olhos dele lacrimejarem. No instante seguinte, ele entendeu o que ela quis dizer. – Ah... ah, você quer dizer... partir!

Jessica assentiu com a cabeça.

– Precisa mesmo? – perguntou Francis. – Quero dizer, não pode ficar mais um pouco?

– Não. Não, não posso.

Àquela altura, o corpo de Jessica se transformara num farol que, para eles, iluminava todos os cantos do estacionamento. – Mas não se preocupe. Está tudo bem.

Ela deu um passo na direção de Francis, esticou as mãos e o abraçou. Para sua surpresa, Francis a sentiu de maneira bem sólida. De um modo curioso, diria Francis mais tarde, ela parecia mais sólida do que ele mesmo. Como se fosse ela a ter um corpo de verdade, e ele fosse apenas um fantasma.

– Se ao menos você soubesse... – sussurrou ela no ouvido dele. – Se algum de nós soubesse...

Jessica o abraçou por um momento e depois o soltou. Ela sorriu para os outros e começou a flutuar pelo ar na direção do hospital. Do lado de fora da janelinha no terceiro andar, eles observaram Jessica se virar pela última vez, acenar... e desaparecer.

Francis, Andi e Roland ainda estavam ali parados quando Tia Jo apareceu e se juntou a eles. Ela olhou para Francis.

– Acabei de me lembrar de onde o vi antes – disse ela. –Você é o menino que veio até a minha casa, não é?

– Sim – respondeu Francis.

– Posso perguntar como veio parar aqui essa noite?

Francis não sabia o que dizer.

– Só estou perguntando – disse a Tia Jo –, pois aquela senhora ali – e apontou para a mãe de Roland, que conversava com um policial – me contou que você anunciou de repente que sabia que algo ruim iria acontecer no hospital. E a mesma coisa aconteceu comigo.

– É mesmo?

– Sim. Eu estava sentada à minha mesa de trabalho, em casa, e tive a sensação de que deveria entrar no carro e vir até aqui. Foi quase como se alguém estivesse me dizendo para vir. Foi isso que aconteceu com você?

– De certa forma, sim – disse Francis.

– Esse mundo é estranho. – Tia Jo balançou a cabeça. – Eu nem mesmo tento entender.

Eles ficaram ali parados por um instante, olhando para a cidade. – Não sei se você sabe, mas minha sobrinha cometeu suicídio.

– Sim – disse Francis. – Ouvi falar.

– Eu queria que ela tivesse um amigo como você, que aparecesse quando ela...

Tia Jo parou por um momento. – O nome dela era Jessica. Era uma menina adorável. Acho que, se tivessem se conhecido, vocês se dariam muito bem.

– Sim – disse Francis –, eu sei que sim.

29

Na segunda-feira seguinte, na escola, Francis descobriu que havia se tornado uma espécie de celebridade. A história chegara ao noticiário das dezoito horas, no domingo e, na segunda de manhã, o *Daily Mail* a publicou na primeira página, estampando uma fotografia da silhueta de Lorna contra o céu escuro, enquanto Francis esticava a mão para ajudá-la a descer.

As imagens haviam sido feitas por um faxineiro do hospital com o telefone celular e, como ele estava na calçada, na base do edifício-garagem, quando fez o vídeo, Francis e Lorna eram as únicas pessoas no enquadramento. Não se via Andi nem a tia de Jessica, a Sra. Barfield, o que, de certa forma, dava a impressão de que Francis conduzira o resgate completamente sozinho. Ele dizia a todos que aquilo não era verdade, mas ninguém parecia lhe dar ouvidos.

Quando chegou à escola naquela manhã, a professora-chefe apertou sua mão dizendo o quanto estava orgulhosa, antes de mandá-lo à sala da Sra. Parsons. No caminho, várias outras pessoas o pararam no corredor para lhe dar os parabéns e, ao passar pela secretaria, as mulheres que lá trabalhavam se levantaram e o aplaudiram. Karen, a recepcionista, até mesmo insistiu para abraçá-lo antes de o conduzir à sala da diretora.

A Sra. Parsons foi um pouco mais contida, mas sorriu e pediu que ele se sentasse, oferecendo-lhe uma xícara de chá.

– Parece que você teve um fim de semana agitado – disse ela, gesticulando para o *Daily Mail* sobre a mesa. – Eu li a reportagem, é claro, mas gostaria muito de ouvir o *seu* relato, caso não se incomode de contá-lo mais uma vez.

Francis disse que não se importava e contou à Sra. Parsons a mesma história que contara ao repórter do jornal. Era totalmente verdadeira, por mais que não falasse nada sobre Jessica ou sobre como ela o alertara. Ele simplesmente disse que estava voltando de Southampton com Andi e Roland quando viram Lorna no alto do edifício-garagem.

– Você a reconheceu? – perguntou a Sra. Parsons. – Mesmo àquela distância. No escuro?

Francis disse, atendo-se à sua versão da história, que sim, soubera de imediato de quem se tratava. Ele foi em frente, descrevendo como correra escada acima, vira Lorna pronta para se jogar da beirada do parapeito e gritara para que parasse. Mais uma vez, não disse nada sobre ter encontrado Jessica ali. Aquilo era algo que havia discutido com os outros, e todos concordaram que seria melhor assim. Ele contou à Sra. Parsons como havia começado a falar com Lorna, mas que esgotara o que tinha a dizer e então uma mulher – a Sra. Barfield – aparecera e por fim acabara persuadindo Lorna a se afastar do parapeito. – Sei que parece diferente na foto – disse ele –, mas, na verdade, foi ela quem fez tudo.

Quando ele terminou, a Sra. Parsons tirou os óculos, girou-os por um instante entre o polegar e o indicador, e contemplou, pensativa, janela afora.

– Eu sabia que havia algo no ar – acabou dizendo. Para Francis, ela parecia um tanto cansada. – Havia algo acontecendo naquela turma, mas sempre achei que os alunos em risco eram você e Andi. Não Lorna. – E deu um longo suspiro. – Nunca imaginei. Nem por um momento.

A reportagem explicara todos os detalhes do motivo por que Lorna quisera se matar e descrevera o caso como uma tentativa de bullycídio. Segundo eles, Lorna tentara dar cabo à própria vida porque duas garotas de sua escola vinham inventando histórias a seu respeito. O jornal não citara o nome das meninas, mas os dias que se seguiram não foram fáceis para Angela e Denise.

As duas se esforçaram bastante para fingir que não tinham feito nada de errado. Chegaram à escola naquela segunda-feira com toda a aparência de estarem tão preocupadas e aflitas com a pobre Lorna quanto todo mundo. Colegas as ouviram se questionar quem poderiam ser as duas garotas mencionadas pelo jornal. Quem, perguntaram elas, poderia ter feito algo assim tão horrível?

As garotas eram boas mentirosas. Ambas tinham sido questionadas exaustivamente pela Sra. Parsons em três ocasiões diferentes, mas juraram de pés juntos que só haviam passado adiante os boatos que lhes foram relatados. Ninguém realmente caiu na delas, mas, por um tempo, parecia que as duas poderiam acabar se livrando. Até que, na quarta-feira, não apareceram na escola.

Descobriu-se que as meninas vinham trocando ideias sobre as mentiras que inventavam a respeito de Lorna numa série de mensagens que a polícia encontrou em seus celulares. As duas foram afastadas da escola no mesmo dia, e a Sra. Parsons anunciou, numa reunião, que a expulsão era definitiva. Segundo ela, não seria justo pedir a Lorna que voltasse à escola enquanto Angela e Denise ainda estivessem por lá, por isso as duas teriam que prosseguir sua educação em outro lugar.

Lorna ficou no hospital por uma semana, em casa por um mês e, no fim, acabou não voltando à John Felton. A Sra. Parsons fez o melhor que pôde para lhe assegurar que as coisas seriam diferentes caso ela voltasse, mas Lorna se recusou terminantemente. Em vez disso, matriculou-se numa escola particular, onde a diretora, após ler sobre o seu caso, lhe ofereceu uma bolsa de estudos. Tratava-se, estranhamente, da mesma escola onde Andi se sentira tão infeliz, mas Lorna adorou o lugar desde o primeiro dia. Lá, acabou se tornando uma aluna popular, tirava notas excelentes, e, em pouco tempo, já era a presidente do grêmio estudantil. No final, conquistou uma vaga para estudar Ciências Naturais em Cambridge.

Para Francis, ser uma celebridade não era nada fácil, mas ele acabou se acostumando. Acostumar-se a ficar sem Jessica foi muito mais complicado. Andi e Roland também sentiam a falta dela, mas para Francis foi bem mais difícil. Nos cinco últimos meses, ela havia sido a pessoa mais importante na sua vida e, agora que tinha partido, ele sentia mais a sua falta do que as palavras eram capazes de explicar.

Em seu quarto no sótão, havia lembranças dela onde quer que olhasse. Estava ali na maioria dos desenhos na parede. Estava ali no vestido inacabado junto à máquina de costura. Estava quase ali, sentada no sofá, quando ele subiu as escadas e entrou no quarto... só que não estava. Não estava em lugar algum, pois tinha ido embora.

Às vezes, a tristeza daquele pensamento ameaçava sufocá-lo, e uma parte sua temia que a vida voltasse a ser como era antes de Jessica ter aparecido... o que não aconteceu. Ele ficou triste, muito triste, por sua amiga não estar mais ao seu lado, porém, de certa forma, aquilo nunca seria como estar no Fundo do Poço. Por motivos que não conseguia entender, era um tipo diferente de tristeza.

Houve duas coisas que ajudaram. A primeira foi que Andi e Roland não lhe deram ouvidos quando ele disse que não queria ver ninguém e preferia ficar sozinho. Andi simplesmente o pegou pelo braço e disse que não havia muita chance de aquilo acontecer.

– Chance nenhuma – concordou Roland. – Agora você está ligado à gente. Quer queira, quer não.

E Francis descobriu, com o passar dos dias, que gostava daquilo. À medida que a dor diminuía, começou até mesmo a perceber que ter amigos que ficavam ao seu lado era uma das melhores coisas que poderiam acontecer a alguém.

A segunda coisa que ajudou, embora de maneira menos direta, foram as cartas. Começaram a chegar um dia depois que a história apareceu no noticiário e, passado um mês, continuavam a ser entregues.

Muitas delas queriam apenas parabenizar Francis pelo seu feito, mas diversas outras pediam conselhos. Vinham de pais preocupados, que achavam que os filhos poderiam estar pensando em fazer o mesmo que Lorna, e queriam saber como impedi-los. Ou então de adolescentes que diziam estar passando pelas mesmas coisas que haviam acontecido a Lorna, e pediam ajuda e socorro.

Francis não fazia ideia de como responder a elas. Para começar, tratava-se de uma quantidade expressiva. Em uma semana, já havia mais de uma centena de cartas empilhadas sobre a mesa do quarto no sótão, e ele sabia que jamais conseguiria dar retorno a todas. Mesmo que conseguisse, o que deveria dizer? O que se *poderia* escrever para uma pessoa que dizia estar pensando em se matar? Não soubera o que dizer a Lorna no edifício-garagem, então como ele poderia estar qualificado a dar conselhos agora? Mostrou as cartas à mãe, que lhe disse que tampouco fazia ideia de como responder a elas, mas comentou que havia uma pessoa que talvez soubesse.

– Aquela mulher que apareceu no alto do edifício--garagem – sugeriu ela. – A Sra. Barfield. Ela não é uma conselheira qualificada, ou algo assim?

Tia Jo foi à casa de Francis depois da escola naquela noite, e se prontificou a levar as cartas e dar um jeito nelas.

– Vou começar separando tudo para você – explicou. – Desse modo, vai saber quais são as mais importantes e aquelas que podem ser deixadas um pouco de lado. Assim, se vier à minha casa no final de semana, poderemos começar a pensar em respostas para as cartas que são realmente urgentes.

Naquele fim de semana, Francis foi à casa da Tia Jo, e os dois se sentaram juntos no cômodo que um dia fora o quarto de Jessica. Francis digitou as respostas no computador, enquanto a Sra. Barfield o aconselhava sobre o que dizer. Na maioria dos casos, o conselho que dava era bastante óbvio – a necessidade de conversar com alguém e de procurar ajuda de verdade –, mas Tia Jo alegou que, apesar de óbvio, não queria dizer que não era importante.

Os dois elaboraram uma ordem de prioridade para as cartas, e Francis descobriu que gostava de escrever as respostas. Era algo bom de fazer, o tipo de coisa que Jessica teria aprovado, pensou ele, caso ela ainda estivesse por perto, e então passou a visitar a casa da Tia Jo na maioria dos finais de semana, respondendo a mais algumas cartas por vez. Na verdade, ele cogitou recusar a oportunidade de ir ao Canadá por um mês, para que pudesse continuar com o trabalho durante as férias de verão.

Foi a mãe de Andi quem organizou a viagem ao Canadá. Certa noite, sentada na cozinha com Francis e a mãe dele, ela anunciou em sua voz estrondosa que tinha um irmão que vivia numa fazenda próxima a Calgary.

– Andi adora aquele lugar – disse ela. – Por isso, decidimos passar quatro semanas por lá em agosto.

Francis se perguntou se ninguém mais percebera que a Sra. Campion já não chamava a filha de Arma ou de Encrenquinha. Há algum tempo só a chamava de "Andi".

– Mas ela não quer ir sem você. – A Sra. Campion olhou para Francis. – Por isso, eu gostaria de saber se você não quer vir com a gente. Roland já concordou.

Francis hesitou.

– Não precisa se preocupar com o dinheiro – avisou sua mãe. – A gente pode bancar. Você não vai acreditar em quanto Frieda vem cobrando pelos meus pratos!

– E vai ter um montão de coisa para fazer por lá – contou a Sra. Campion, de maneira persuasiva. – É uma fazenda enorme: vocês vão poder andar a cavalo, descer o rio de canoa, de bote, escalar as montanhas...

Francis se perguntou como Roland iria encarar a canoagem e andar de bote, mas logo concluiu que ele provavelmente saberia lidar bem com isso. Contanto que estivesse perto de Andi, Roland desceria alegremente de barril as Cataratas do Niágara.

– Mas nenhum dos dois quer ir sem você – disse a Sra. Campion –, então poderia, ao menos, pensar no assunto?

Francis concordou em fazê-lo, mas no fim anunciou que, embora estivesse grato pelo convite, preferia ficar em casa. Não era exatamente o tipo de adolescente que curtia canoagem e passeios de bote, explicou, e preferia passar o verão trabalhando com a Tia Jo, respondendo às cartas.

E, desta vez, nem Andi nem Roland conseguiram convencê-lo a mudar de ideia.

31

Na terça-feira, após o término das aulas, Andi e Roland partiram para o Canadá. Francis foi se despedir deles no aeroporto de Gatwick e, quando voltou, perguntou a si mesmo se havia tomado a decisão certa. Sentado no seu quarto no topo da casa na avenida Alma, sentiu-se subitamente solitário.

Ele mal teve a oportunidade de se sentir sozinho por muito tempo, pois a mãe de Roland apareceu na manhã seguinte para levá-lo à casa da Tia Jo. Ela se ofereceu para fazer esse favor todos os dias, em parte porque gostava de ter alguém com quem conversar sobre Rollo, mas também porque aquilo significava que Francis poderia ajudá-la a resolver qualquer problema que porventura surgisse com seus próprios estudos.

Francis ia à casa da Tia Jo todas as manhãs, de segunda à sexta, e, uma vez lá, os dois se sentavam no escritório e começavam a responder a mais um lote de cartas.

Algumas delas eram de pessoas que haviam passado por abusos, tinham sido atacadas fisicamente, ou então eram portadoras de doenças que lhes causavam dores fortíssimas – e, quando Francis as lia, era fácil enxergar por que o remetente havia chegado àquele ponto de desespero. E era um alívio que Tia Jo sempre parecesse encontrar algo encorajador para dizer, e sugeria alguém ou alguma organização que ela achava que poderia ajudar.

Mas o que mais impressionou Francis foi a quantidade de cartas que vinham de pessoas que *não* eram submetidas à fome, *não* vinham sendo surradas, tampouco viviam com dores crônicas, mas que, ainda assim, estavam desesperadamente infelizes. Vinham de adolescentes como Roland, que se achavam gordos demais, ou como Andi, que não se julgavam bonitos. Ou de pessoas como ele, que sabiam ser simplesmente... *diferentes*. Os motivos que elas ofereciam para tal sentimento eram tão numerosos quanto as cartas em si, mas aquilo era a única coisa comum a todas elas. Todas as pessoas que escreviam explicavam como se sentiam isoladas do mundo que as cercava.

Sozinhas.

E *diferentes*.

Por que, pensou Francis, "ser diferente" tinha que ser tão doloroso? Por que era assim tão importante, quando, se refletíssemos bem, todo mundo era diferente de uma maneira ou de outra?

– Eu acho – disse Tia Jo, quando ele colocou a pergunta – que algumas pessoas sentem essas coisas com mais intensidade do que nós. São mais sensíveis. Mas creio que o verdadeiro dano é provocado quando se acrescenta algo. Se alguém já está se sentindo para baixo por algum motivo e *então* perde um dos pais, como aconteceu com Jessica, ou fica doente, ou se você coloca uma

Denise Ritchie e uma Angela Wyman em seu caminho, é aí que a coisa fica séria.

Tia Jo passou a Francis a carta que estava lendo, de um garoto que vinha sofrendo bullying por ter começado a fazer tricô.

– Acho que essa aqui é mais do seu departamento – disse ela.

Francis gostava de estar no que um dia fora o quarto de Jessica. Gostava de olhar para as fotos dela, penduradas na parede. E gostava de ouvir a Tia Jo falar sobre ela, as histórias que contava sobre as coisas que fizera quando estava viva.

– Às vezes, sinto que ela ainda está aqui – disse Tia Jo a Francis, certo dia. – Sabe... como se ela viesse de vez em quando para ver o que estou fazendo. E sempre penso que foi ela quem me disse para ir ao hospital naquela noite. Acha isso uma bobagem?

E Francis respondeu que não, que não era bobagem alguma.

Tia Jo só deixava que ele trabalhasse nas cartas durante as manhãs. Alegava que não seria bom para ele fazer aquele tipo de coisa o dia inteiro e insistia para que, depois do almoço, Francis saísse para se divertir com gente da sua própria idade. Francis queria dizer que os únicos amigos que tinha da sua própria idade estavam do outro lado do Atlântico, mas num curto espaço de tempo aquilo não seria mais uma verdade absoluta.

A Sra. Parsons telefonou para ele numa semana das férias. – Estou com um problema – disse ela. – Um grupo de teatro está usando a escola como sede durante o verão. Eles vão encenar *Amor, sublime amor*, e precisam de ajuda. Anda ocupado no momento?

– Não sou muito bom ator – ponderou Francis.

– Não, não, eles não querem você para isso! – A Sra. Parsons deu um risinho. – A última coisa que precisam é de mais um protagonista. Mas estão um pouco enrolados com o figurino. E me lembro de você ser bom nisso.

Francis concordou em dar uma olhada no problema, e naquela tarde foi até a escola, onde vinte ou trinta adolescentes estavam reunidos no salão principal, ensaiando um número de dança que envolvia um monte de saias rodopiantes e sapateado. A diretora da peça se chamava Sra. Wigley e foi ela quem disse a Francis que a pessoa que normalmente cuidava do figurino entrara em trabalho de parto.

– Esperávamos que desse tempo até tudo isso acabar – disse a Sra. Wigley –, mas ela foi apanhada desprevenida ontem, bem no meio de uma cena complicada de luta.

A Sra. Wigley conduziu Francis para fora do salão, até chegarem a uma sala de aula cheia de roupas penduradas em araras. – Alugamos a maior parte dos figurinos, mas obviamente nada cai bem nos atores. O que precisamos agora é de alguém experiente com linha e agulha nas mãos, que possa dar um jeito em tudo. – Ela olhou esperançosa para Francis. – Será que pode nos ajudar?

Dez minutos depois, Francis estava sentado diante de uma mesa com uma máquina de costura, e, nas três semanas seguintes, ele se viu alterando, cortando, apertando, fazendo pregas e até mesmo descosturando vestidos inteiros para criar novos. A experiência foi, de certa forma, uma revelação.

Durante o tempo todo em que esteve ali, ninguém que apareceu para ajustar o figurino, nem uma só pessoa, sugeriu, por algum momento, que fosse estranho ver Francis fazendo aquele trabalho. A única coisa com que se preocupavam era como estariam quando subissem ao palco, e, assim que descobriram quem era a pessoa capaz de resolver aquilo, Francis passou a ser tratado com um respeito considerável. Batiam à sua porta e perguntavam, em tom de desculpa, se ele poderia ajustar a cintura em suas calças, ou se poderia sugerir um top de outra cor. E, quando Francis fazia o que lhe pediam, diziam-lhe numa linguagem extravagante o quanto era maravilhoso e como estavam agradecidos.

Às vezes, quando não eram esperados no palco, vinham simplesmente para bater papo. Sentavam-se numa das mesas enquanto ele remendava um furo ou consertava um rasgo, e lhe contavam coisas sobre si próprios que Francis não ousaria contar à própria mãe. Comportavam-se de maneira bem diferente de todos que conhecera antes, e a maior diferença era que pareciam *gostar* de ser diferentes. Aquilo não era algo que os deixasse envergonhados ou infelizes. Era algo que de fato curtiam.

O espetáculo ficou em cartaz por uma semana e foi um grande sucesso. Depois de encerrado, a Sra. Wigley disse a Francis que achava que o sucesso se dera quase que exclusivamente por seus figurinos maravilhosos, e ainda que a tenha ouvido falar para o pianista que o sucesso fora em maior parte por causa da trilha sonora, ele não se importou. Tinha amado cada momento daquilo, e, enquanto todos se despediam com beijos e abraços na noite de encerramento, ele prontamente concordou em participar no ano seguinte para fazerem tudo outra vez.

Francis não conseguiu deixar de imaginar o quanto Jessica teria amado aquilo tudo.

Dois dias depois, Andi e Roland voltaram do Canadá. Ambos estavam praticamente irreconhecíveis. Francis levou alguns segundos para se dar conta de que a figura correndo desembestada na sua direção, no setor de desembarque, era Andi. Ela havia pintado o cabelo de louro, estava superbronzeada, e usava uma minissaia esvoaçante e um top halter neck em cores escolhidas a dedo – mais tarde, pediria a opinião especializada do amigo. Ela saltou para cima dele de uma distância de vários passos e o abraçou com tanta força que Francis temeu pelas próprias costelas.

Roland parecia ainda mais estranho. Estava vários centímetros mais alto, dez quilos mais magro, e exalava o tipo de confiança que vem apenas de quem escala montanhas, desce penhascos e faz canoagem por desfiladeiros em rios de correnteza forte. Estava maior do que nunca, mas de uma maneira diferente. Separando-se da mãe, ele se aproximou para cumprimentar Francis.

– E aí, cara... – Sua voz estava mais grave e entoada enquanto sorria para Francis. – Como vão as coisas?

No caminho de volta para casa, enquanto trocavam histórias sobre produções teatrais e encontros com ursos-cinzentos, ficou claro que ao menos uma coisa não havia mudado. Os três ainda eram amigos tão próximos quanto antes. Todo o resto em sua vida podia ter mudado, pensou Francis, mas era bom saber que algumas coisas tinham permanecido iguais.

32

Como tudo mudou? Francis não conseguiu entender por completo até o início do segundo semestre, alguns dias depois. Era hora do lanche, e ele estava sentado no banco do pátio, curtindo o sol do verão e costurando a bainha de uma saia para uma garota do primeiro ano.

O nome dela era Rowena Evans. Participara do grupo de teatro durante o verão, cantando e dançando como uma dos Jets. A saia fora comprada pela avó, e não lhe caíra muito bem, por isso ela perguntara a Francis se ele se importaria de fazer alguns ajustes.

Francis ficou feliz em ajudar, e já estava na metade da saia, quando uma sombra recaiu sobre seu trabalho. Olhando para cima, viu um garoto da sua idade parado à sua frente.

– O que cê tá fazendo? – perguntou o garoto.

– Costurando – respondeu Francis.

O garoto olhou para ele de cima a baixo. – Isso é coisa de menina – disse ele.

– Veja que interessante – começou Francis. – A ideia de que costurar é coisa de menina é relativamente nova. Meu trisavô era da Marinha, e, na época dele, os homens nunca deixavam esse tipo de coisa para as mulheres. Achavam que elas não eram hábeis o suficiente.

O menino bufou com escárnio. Chamava-se Kevin e tinha se mudado com a família recentemente, vindo de Sheffield. Na sua antiga escola, se um garoto fosse visto costurando uma saia, jamais chegaria vivo em casa.

– Você nunca me veria fazendo uma coisa assim – disse ele.

– Sim – concordou Francis. – Provavelmente nunca.

Kevin continuou a observá-lo por um momento e então, balançando a cabeça em reprovação, foi embora.

– O que ele queria? – Roland havia se sentado no banco ao lado de Francis.

– Nada demais – disfarçou Francis. – Achou um pouco estranho me ver costurando.

– Ele não estava perturbando você, estava? – Andi se sentou do outro lado de Francis e abriu a tampa da sua lancheira. – Porque, se estivesse, Roland e eu ficaríamos muito felizes em ter uma conversinha com ele.

– Está tudo bem – Francis os tranquilizou. – Ele não me perturbou.

E era verdade. O encontro com Kevin não o incomodou nem um pouco, o que era estranho, caso pensasse no quanto aquilo poderia tê-lo incomodado no início do ano. Ele se perguntou o que, exatamente, havia mudado.

Roland estava desembrulhando seu lanche.

– Abacate fatiado e queijo brie cremoso na baguete integral – contou quando Andi perguntou –, com pimentão verde, tomate cereja e um fio de azeite de oliva.

Os lanches que a Sra. Boyle vinha preparando para o filho naqueles dias haviam mudado bastante, mas ainda davam água na boca.

Muita coisa havia mudado nos últimos oito meses, pensou Francis, e não era fácil apontar a maior diferença. Ter amigos certamente ajudava – em particular, um tão assustadoramente grande como Roland ou uma tão intimidante como Andi –, mas não era só isso...

A própria escola estava diferente naqueles dias. Desde que Lorna tentara pular do alto do estacionamento do hospital, os funcionários passaram a levar qualquer forma de bullying bem mais a sério, e agora Francis sabia que, caso se sentisse incomodado pelas piadas de alguém como Quentin e relatasse o fato, a coisa seria tratada com a relevância que merece. A Sra. Parsons deixara absolutamente claro que o direito de se sentir seguro na escola era uma de suas prioridades máximas, e assim várias iniciativas foram tomadas para garantir seu sucesso.

Mas também não era só isso...

– Vamos trocar? – sugeriu Andi a Roland. – Pode ficar com um pouco do meu lanche e eu fico com uma parte do seu.

– O que tem aqui? – perguntou Roland, espiando dentro do sanduíche que Andi lhe dera.

– Geleia – disse Andi. – Geleia de frutas vermelhas. Vamos, pode ir passando pra cá...

A maior mudança, Francis percebeu, não foi em seus amigos ou na escola, mas em si mesmo. A verdadeira razão para não se importar quando alguém ria por ele estar costurando uma saia não era saber que poderia contar à Sra. Parsons, ou por Andi vir ao seu resgate. Era porque não se *importava* mais com o que as outras pessoas pensavam. Se elas dissessem que o que ele fazia era engraçado e tinham vontade de rir... que rissem. Afinal de contas, *era* mesmo um pouco engraçado. E diferente. Mas ele era assim, e as pessoas ao seu redor teriam que aprender a conviver com isso.

E a coisa mais estranha era que, agora que não se importava mais com o que as outras pessoas pensavam, a maioria parecia feliz em deixá-lo ser o quão diferente quisesse ser. Podiam examinar o que ele estava fazendo, como acontecera com Kevin, e disparar algum comentário vazio, mas, como Francis não se importava, a tendência era que, assim como fizera Kevin, também fossem embora. Caso alguém transformasse aqueles comentários num hábito, talvez ele tivesse que fazer algo a respeito, mas ainda não havia acontecido e Francis tinha a sensação de que jamais aconteceria.

– Acho que vai querer um pouco também, não? – Ao seu lado, Roland segurava um pedaço de pão de uns trinta centímetros, com queijo cremoso escorrendo pelas bordas.

– Ah, obrigado... – Francis aceitou distraidamente. Eles sempre acabavam comendo um pouco do lanche de Roland. A Sra. Boyle vinha preparando uma comida mais saudável para o filho ultimamente, mas jamais superara o costume de fazer uma quantidade três vezes maior que o necessário.

Tantas mudanças, e todas elas aconteceram, quando se olhava para trás, de maneira tão rápida. Aquilo era algo sobre o que ele costumava falar nas cartas que escrevia na casa da Tia Jo para as pessoas que mandavam e-mails para a página dela – a velocidade com que a vida podia mudar. Como ela podia parecer completamente impossível num momento, e cheia de esperança e de possibilidades em outro.

E você nunca sabia como ou quando aquela mudança poderia ocorrer, pensou Francis. Você nunca sabia o que encontraria dobrando uma esquina e o que poderia ser jogado na sua direção. Nunca sabia quando alguém como Jessica estava prestes a se aproximar e se sentar no banco ao seu lado...

Foi assim que a mudança se deu na sua própria vida, claro. Tudo começou no dia em que Jessica se juntou a ele no banco. Conhecer Andi e Roland, dar um jeito em Quentin, salvar Lorna – tudo começou com Jessica. Foi ela quem deu origem à mudança. Foi ela quem lhe ensinou quanta diversão há na vida, como era cheia de oportunidades, quantas ocasiões havia para curtir...

Era uma lição estranha para se aprender com alguém que estava morta, com um fantasma.

E era uma pena que ela não estivesse ali para ver os resultados das mudanças que havia provocado. Em muitas ocasiões, Francis pensava como ela teria curtido ver Roland naqueles dias, caminhando pela escola, grande e confiante. Como teria amado ver Andi, com um sorriso enorme no rosto, dizendo com firmeza a eles dois o que fariam no fim de semana...

Mas, claro, se você acreditasse na Tia Jo, talvez Jessica *pudesse* vê-los. Talvez os visitasse de vez em quando, para ver como estavam. Talvez tivesse assistido àquele pequeno diálogo com Kevin. Talvez… talvez estivesse ali naquele momento.

O sol brilhava forte às costas de Francis, e ele podia sentir o calor se espalhando pelo casaco e encontrando seus ombros. Era um calor sutil e relaxante, e ele se refestelou no banco, dando uma bela mordida no sanduíche que Roland lhe dera.

Estava, como tantos momentos na vida naqueles dias, completamente delicioso.

Agradecimentos

Uma das grandes linhas divisórias quando o assunto são escritores está entre aqueles que simplesmente se sentam e começam a escrever – sem qualquer ideia preconcebida do rumo que sua história irá tomar – e aqueles que gostam de planejar a coisa toda de antemão. Sabem o que acontecerá em cada capítulo (às vezes, em cada parágrafo) e, antes de iniciar a primeira frase, sabem *exatamente* como a história irá terminar.

Eu me encontro definitivamente na turma do planejamento, ainda que tenha uma admiração velada por aqueles que ousam se lançar numa história, escrevendo milhares de palavras, simplesmente confiando que sua intuição artística, quem sabe, garantirá que todas as tramas convertam para uma resolução satisfatória. Trata-se de uma técnica, eu sei, que produz tanto o melhor quanto o pior da literatura, mas eu mesmo só tentei aplicá-la uma vez – e o resultado foi este livro. Comecei com a ideia de uma menina morta (sem saber o motivo) que encontrava um menino... e segui daí em diante.

Eu estava na metade do livro quando descobri como Jessica morreu e então, repentinamente, o fato de ter feito amizade com Francis, Andi e Roland passou a ter um sentido alarmante. Digo "alarmante" porque este não era em absoluto o meu tipo de história. Na verdade, escrevo comédia – comédia leve –, e este tópico era sério demais para alguém como eu. Nunca me aventurei a estudar o tema suicídio…

A história levou dez anos para chegar à forma que vocês acabaram de ler. Foi útil, mais do que qualquer pessoa que não faça parte da indústria possa saber, ter uma editora como Bella Pearson delicadamente apontando os trechos que talvez viessem a se favorecer com um pouco de reflexão, e ter o lendário David Fickling me incentivando com seu entusiasmo extraordinário. Existe alguma coisa em trabalhar com pessoas de classe como estas, que fazem com que você eleve seu nível. Ainda tenho os diversos esboços iniciais no meu computador como prova dolorosa do quanto a ajuda deles foi necessária.

Como disse, eu mesmo jamais contemplei o suicídio, mas conheço um pouco sobre depressão e, por alguns anos, recebi visitas regulares do que Churchill chamou de Cão Negro. Em tais períodos, senti-me extremamente grato pela presença daqueles que estavam preparados para pacientemente ficar ao meu lado até as nuvens se dispersarem e o sol voltar a brilhar. E fiquei ainda mais agradecido àqueles, como Jessica neste livro, cuja simples presença era uma lembrança constante de que, mesmo em seus momentos mais sombrios, a vida é cheia de possibilidades e, sim, milagres podem acontecer.

E acontecem.

Andrew Norriss

CHILBOLTON, 2014

A Anistia Internacional do Reino Unido endossa este livro porque ele defende a **justiça**, a **igualdade** e a **solidariedade**.

"Todos os seres humanos nascem livres e iguais em dignidade e direitos."

Artigo 1, Declaração Universal dos Direitos do Homem.

A Declaração Universal dos Direitos do Homem (DUDH) foi assinada por líderes mundiais em 1948 na esperança de impedir que os horrores do Holocausto acontecessem de novo. Ela estabelece trinta direitos que protegem todos nós, quem quer que sejamos e onde quer que vivamos. Muitas pessoas ainda sofrem discriminação, abuso e violência, mas a DUDH nos fortalece para defendermos a nós mesmos e uns aos outros.

Amigos para a vida sustenta os valores humanos da justiça, da igualdade e da solidariedade. Solidariedade significa reconhecer que temos coisas em comum e que apoiamos uns aos outros. Partidários da Anistia Internacional pelo mundo afora demonstram solidariedade exigindo justiça para indivíduos que estão sob risco; defendemos pessoas que estão sendo tratadas injustamente escrevendo cartas, assinando petições e pressionando políticos. Também mostramos nossa solidariedade escrevendo mensagens pessoais de esperança, apoio e compreensão. Isso faz uma enorme diferença junto a pessoas que estão sendo maltratadas por aquelas que possuem mais poder do que elas.

Nesta obra, os personagens mostram solidariedade uns para com os outros à medida que se tornam amigos, mas Francis também demonstra solidariedade para com pessoas que ele não conhece, através do apoio pelas redes sociais e pela escrita de cartas.

Agora que você leu *AMIGOS PARA A VIDA*, a Anistia Internacional sugere que pense sobre estas questões:

- *O que os personagens do livro possuem em comum?*
- *Como eles defendem e apoiam uns aos outros?*
- *Por que demonstrar e experimentar solidariedade transforma suas vidas?*

Anistia Internacional é um movimento de pessoas comuns do mundo inteiro que defendem a humanidade e os direitos humanos. Nosso propósito é proteger indivíduos onde quer que a justiça, a igualdade, a liberdade e a verdade sejam negadas. Você pode juntar-se a nós para defender e mostrar solidariedade por nossos direitos, pelos direitos de outras pessoas e por nós mesmos.

Saiba mais sobre a Anistia Internacional em ***anistia.org.br***

Papel: Pólen Soft 70g
Tipo: Bembo
www.editoravalentina.com.br